KB096238

내 사람들 에게

발 행 | 2024년 3월 12일
저 자 | 한미정
펴낸이 | 한건희
펴낸곳 | 주식회사 부크크
출판사등록 | 2014.07.15(제2014-16호)
주 소 | 서울특별시 금천구 가산디지털1로 119 SK트윈타워 A동 305호
전 화 | 1670-8316
이메일 | | info@bookk.co.kr
ISBN | 979-11-410-7619-1

www.bookk.co.kr
ⓒ 한미정 **2024**
본 책은 저작자의 지적 재산으로서 무단 전재와 복제를 금합니다.

내 사람들 에게

내 사람들에게

한미정 지음

CONTENT

머리말

내 손을 걸쳐서 한 권의 책이 세상에 나온단 사실이 아직도 믿기지 않습니다.

제 책을 본 모든 독자들이 제 글에 대해 하나같이 좋은 평을 해줄 순 없을 겁니다. 그럴 거란 기대도 없고요, 왜냐면 저 역시 제 글의 모든 부분이 맘에 들지 않거든요.

그래도 이 글이 내가 사랑한 사람들과 저와 그들이 함께한 아름답던 모든 날들 속에 닿아서, 그들이 행복해질수만 있다면 저는바랄게 없을것입니다니다. 너무 큰 바람일지는 모르겠지만요..

오늘 이 모든 영광을 늘 저를 인도하시고, 앞으로도 인도해 주실 제 영적아버지께 올려드리며,

제가 오늘 여기에 있기까지 절 믿어주신 사랑하는 어머니, 늘 뒤에서 받쳐주신 사랑하는 아버지.. 때론 친구처럼 엄마처럼 지켜주신 우리 할머니, 하나뿐인 귀여운 나의 동생, 날 다시 용기내서 설 수 있도록 잡아준 소중한 친구, 응원과 격려를 아낌없이 부어주신 센터 선생님.. 세상 어떤 말로도 표현 못 할 정도로 고맙고 감사합니다. 참 많이 사랑합니다..

너무나도 사랑하는 내 사람들에게 이 책을 바칩니다.

1

아무것도 없이 세상에 나와 처음 마주한 사람이 당신이라 감사합니다

*

누구나, 그리고 무엇이든 어떤 '역사'라는 것을 시작하게 된다면 그 속에는 시작점이 존재하기 마련이다.

대표적인 예로 한 인간의 역사를 시작하게 될 때..
그때의 시작점은 '부모'이고, 정확히는, '엄마'라고 난 생각한다.

어딜 가던 늘 예외는 존재하는 법이지만, 인간들의 대다수가 태어나 처음.. 아니, 우리가 만들어지고 처음 마주하는 또 다른 인간은 '엄마'이다. 나도 그랬다. 나는 태어나 처음 마주한 존재인 엄마가, 아무것도 없이, 무방비 상태로 이 세상에 나와버린 날 정성으로..
끊어질까 부러질까 아껴가며 애지중지 키워준 우리 엄마가 참 좋았다. 말로 표현이 불가할 만큼..

그러나 어느 순간 의문이 들었다. 엄마의 저 웃음은 진짜일까..? 아무리 당신 배 아파 난 자식이라도 어떻게 나같이 파도파도 단점이 계속해서 나오는 부족한 인간을 저렇게 사랑할 수 있는 걸까..?
물론 나는 자식을 낳아보지 않았고 키워보지 않아서 부모의 심정을 알진 못 하지만, 만약 나 같은 애가 내 아이로 나왔다면 난 우리 엄마처럼 진심을 다해서 키우지 못했을 것 같다.
그것도 결혼 10년 만에 얻은 아이라면 더더욱이 말이다.

우리 부모님은 결혼하고 10여 년 만에 어렵게 아이를 가졌다고 했다.
그분들은 어렵게 생긴 아이가 너무 소중해 예쁜 태명도 지어주고, 아무리 피곤해도 퇴근후면 늘 산책을 하고, 꽃과 나무, 예쁜 풍경들을 보며 열심히 태교를 하며 태어나기 전부터 지극정성으로 그 애를 키웠다고 한다. 그런데 그 아이는 부모님께 감사해야 할 마당에 마치 갑질이라도 하듯 세상에 나오는 그 순간부터 부모님을 애먹였다. 출산 예정일을 1주일 하고도 약 4일 정도를 넘기고 나서야 세상밖으로 모습을 드러냈다. 그런데.. 하늘에 계신 그분도 참 무심하시지.. 10여 년 만에 생긴 그 아이가. 12시간 진통 끝에 나온 그 아이가 글쎄.. 목에다 탯줄을 감은 채로 내 품에 안긴 것 아닌가.. 이건 정말이지 너무한 거 아닌가 말이다. 그러나 능력이라곤 눈곱만큼도 찾아볼 수 없는 의사들, 그리고 순진무구하고 눈치 없으신 내 부모님과 조부모님들은 당시에 그 사실을 인지하지 못했단다. 그저 자신들의 핏덩이인 그 아이를 사랑하기 바빴다. 그렇게 시간은

정신없이 흐르기 바빴고 어느새 내가 태어난 지 8개월이
지났다.
그제야 그분들은 눈치챘다. 내 아이가, 내 손주가 다른
아이들과는 꽤 많이 다르다는 사실을 말이다.

통계에 따르면 약 10~12개월 사이의 아기들은 스스로
앉아있고, 무언가를 집고서는 설 수도 있다고 한다.
그런데 난 달랐다. 앉고 서는 건 둘째치고 제대로
엎드려있거나 고개를 가누는 것조차도 제대로 하질
못했다.

나의 그런 발달속도를 이상하게 여긴 이웃 선배맘의
권유로 엄만 날 데리고 처음으로 병원엘 갔었고 그날
나는 '뇌성마비' 진단을 받았다고 했다.

*

언제 무슨 얘기였는지 기억이 잘 나진 않지만 언젠가
엄마와 그때의 얘기를 나눈 적이 있었다. 내가 물었다,
그때의 심정이 어땠냐고, 대체 그 모진세월 어떻게
버텨냈냐고.. 그날 엄마의 대답은 마치 날카로운 칼처럼
내 마음 가운데, 나의 뇌 가운데에 박혀버렸다, 그러나
이상하게도 그 칼날은 날 괴롭게 하고, 아프게 하지
않았다, 오히려 내가 깊은 구덩이에 빠졌을 때 날
끌어냈고, 내가 힘들고 지쳐 지금 당장 삶을 마무리해도
나쁘지 않겠다고 느낄 때 날 살게 하였다.

병원에 다녀온 그날 밤. 엄마는 아무것도 모르고
빵긋빵긋 웃으며 누워있는 날 잠깐 바라보다 날 두고
방을 나와 신발장으로 향했다. 운동화를 구겨 신으며
그녀는 생각했다. 이 아이를 끝까지 책임질 자신도, 이
아이가 나을 거란 확신도 없는 긴 여정을 해피엔딩으로
끝내지 못할 빠에는 시작하지 않는 게 좋을 것이라고..

.. 한순간이었다. 문고리를 잡는 그 순간 알아버렸다. 그
여리고도 어린아이의 울음이 깨달음을 주었다.. 내 딸은
'내가 죽어야 할 이유'가 아닌, '내가 살아야 할 이유'라고
말이다.

그녀는 이렇게 말했다. 나의 울음을 듣는 순간 의문이
들었다고..
'나야 죽어버리면 그만이지만, 남은 사람들은, 우리
아이는 어떡하나..', '조금만 멀어져도 세상에서 다시는
못 보는 것처럼 서럽게 우는 내 딸은어쩌나'라고 말이다.
그런 생각이 들자 절대 자신의 발로 죽음을 향해 조금도
다가갈수 없었다.

다시 내가 누워있는 방으로 들어간 그녀는 날
부둥켜안고서 한참을 울었다.

나는 그날밤 내 어머니의 눈물에 대해 이런 생각을 했다.
아마도 그날 흘렸던 그 눈물과 함께 나약했던 마음도
같이 멀리멀리 흘러가 어느 순간 사라져 버린 건
아닐까.. 하고 말이다.

그렇게 나와 엄마의 울음소리가 방안을 가득 메우던
그날밤, 우리 엄마의 아주 특별한 육아가 시작되었다.

*

현재 나는 열일곱, 사춘기를 지나 성인이 되어가는
중이다. 나의 사춘기 시절은 굉장히 짧았다. 바람처럼 쓱
스쳐 지나간 느낌이랄까.. 물론 아무리 짧아도 누군가와
마찰이 있기 마련인 것이 사춘기 아니겠는가. 나는 그
시절 아빠와 마찰이 많았다. 우리 둘은 절대 만나서는 안
되는 두 존재가 만난 느낌이었다. 반면 엄마와는 큰
마찰이 없었다.(물론 무서워서 고개 수그리고 조용히 산
것도 없잖아 있지만..) 지금와서 생각해보면 어릴적에
엄마가 만들어준 우리 둘 사이의 유대감이 아주 크게
한몫하지 않았을까?

난 여섯 살 때 까지도 똑바로 서지 못했다. 그러다 보니 유치원도 다니지 못했고, 그러다 보니 자연스레 다른 아이들보다 엄마와 함께하는 시간이 아주 많았다. 그냥 하루종일 붙어있었다고 하여도 과언이 아니었다. 심지어 엄만 늘 나를 데리고 돌아다니셨다. 그것도 모래사장, 잔디 깔린 언덕, 놀이공원, 동물원처럼 혼자서 아이를 데리고 가기 벅찬 곳을 하루도 빠짐없이 다니셨다. 더 놀라운것은, 동생을 가진 후에도, 만삭이 되어서도 날 들춰엎고 다니셨다.
난 이런 엄마가 대단하다고 느꼈지만 한편으로는 잘 이해되지 않았다. 그래서 물었다. 왜 이렇게까지 하셨냐고.. 그 답을 들은 지금도 솔직히 이해되지 않지만, 어쩌면 당신의 그 답은 이 세상 모든 부모의 답변이 아닐까 생각한다.
당연히 다섯 살 된 아이를 하루종일 업고 다니는 게 쉽진 않았을 것이다. 아니,, 어려웠을 것이다. 그러나 그녀가 그렇게 힘든 하루하루를 보낸 이유는 내가 당신의 딸이기 때문이었다 ..

고작.. 그런 이유 하나로 그 세월을 보냈고, 그 어려운
일들을 해낸 것이었다. 아마도.. 그게 엄마라는 이름의
힘인가 보다..

*

자그마치 3년이 걸렸다... 엄마는 날 낳은 지 8개월만에
비극을 맛보았다. 그리고 다른 사람들보다 두 세배는 더
고되고 힘든 육아를 시작한 지 3년 만에 첫 성과를
거두었다..

난 가끔 엄마의 옆에 누워 나나 내 동생의 성장 스토리를
듣는 것을 좋아한다. 그 때의 이야기들을 듣고있으면
왠지 모르게 마음 한편이 따뜻해지기 때문이다.

만약, 누군가 엄마한테서 들은 이야기들 중에서 제일
기억에 남는 것이 무엇이냐고 물어본다면 난 일초의
망설임도 없이 그날의 이야기를 해 줄 것이다.

그날도 날 데리고 치료실에 다녀온 엄마는 피곤에 찌든
채 날 안고 거실 소파에 앉아 티브이를 틀었다. 늘 같은
시간에 재방송을 하는 개그 프로를 보며 하루를
마무리하면 조금이라도 피곤이 더 풀리는 것
같아서였다.
어김없이 개그 프로를 보고 있는데, 평소엔 엄마한테서
조금이라도 떨어지면 큰 일 일아도 날 것처럼 굴던 내가

그날따라 이상하게 엄마의 품에서 벗어나려고
하더란다.
힘든데 잘됐다 싶어 날 옆에 눕혀놓고 다시 티브이에
집중하는데 낑낑거리는 소리가 들리더니, 곧 나의
웃음소리가 들렸다. 그동안 들었던 웃음소리와는 차원이
다른, 크고 명쾌한 웃음소리가.. 얘가 왜 이러나 싶어서
옆을 쳐다본 엄마는 그대로 한동안 굳어있었다. 내가
굉장히 바르게 앉아서 티브이를 보고 있었다. 처음으로..
아무런 도움도 없이..
나의 어머니는, 그 뜨겁던 여름날 밤 날 끌어안고 여름날
태양보다 더 뜨거운 눈물을 흘렸다고 한다. 3년전
모든걸 포기하고 싶었던, 괴로워서, 슬퍼서 구슬프게
울었던 그 자리에서 이번엔 기쁨과 감격의 눈물을
흘리셨다.

*

2012년 가을, 그녀는 몇십 년 만에 가슴 뜨거운 꿈을 가졌다. 나의 엄마가 아닌 한 명의 '물리치료사'로 살아가보고 싶단 꿈을 말이다.

보호자 대기실에서 통유리로 내가 치료받고 있는 모습을 지켜보고 있던 엄마는 온몸에 소름이 쫙 돋고, 머리가 새하에지는 경험을 한 것 했다. 당시 엄마의 눈에 날 치료하는 선생님의 뒤로 눈부신 후광이 비친 것이 보인 것이다.
그리고 인자하고 부드러운 음성이 들렸다고 엄마는 말했다.
'영이야, 바로 이거다. 이것이 앞으로 네가 가야 할 길이다..'

우리 엄마는 지금도 그때의 일을 말할 때면 늘 주님의 은총이라고 말한다. 다른 사람들은 뭐라고 말할지 모르겠지만, 난 엄마의 말에 동의한다. 아마도.. 그날, 치료실 선생님의 등 뒤로 아름다운 후광이 비치던 그때에 또 하나의 주님의 아름다운 계획이 시작된 게 아닐까..?

*

내가 인생을 잘 못 살아온 건지, 아니면 세상 돌아가는 게 원래 그런 건지는 잘 모르겠지만 내가 하는 일들은 거의 모두 그랬다, 늘 시작은 창대하고 아름답다가도, 그 일의 초반부와 중간은 나의 기대와 달리 힘들고, 거지 같았다.. 그러다 마지막엔 또 은근슬쩍 다시 아름다워졌다. 항상 중간과정이 아름답거나 즐거웠던 적은 없었다. 그런데, 그것은 나만 그런 게 아니었던 것 같다. 내가 본 엄마의 대학생활이 그랬다. 아니, 어쩌면 엄마의 학교생활은 시작부터 어렵고 아찔했던 걸지도 모르겠다.. 적어도 내 시선에서는 그렇게 느껴졌다.

그녀는 꿈을 품은 지 2-3년만에 드디어 그 꿈을 향한 첫걸음을 내디뎠다.
'물리치료사'라는 꿈을 이루기 위해. 대학에 입학한 것이다.
대학에 입학했을 당시 그녀는 46세였고, 난 고작 11살이었다.

엄마가 정식으로 대학에 등교하기 전 겨울방학에 나와 내 동생을 데리고 엄마가 다니게 될 대학에 견학을 간 적이 있었다. 아무것도 몰랐던 어린 나는 마냥 신나 있었다.

‘우리 엄마가 이런 곳에서 공부를 한다니, 짱
멋있다!’라고 하며 엄청 좋아했다. 앞으로 어떤 일이
일어날지도 모르고 말이다.
딱 그때까지였다. 엄마가 다닐 학교를 좋게 본 건.. 그
후론, 그 학교가 정말 싫었다.

엄마가 대학에 다니기 시작하고 시간이 가면 갈수록
엄마는 예민해졌다, 우린 엄마와 보낼 수 있는 시간이
점차 줄어들어 저녁이면 엄마와 붙어있으려 애썼고,
엄마는 과제를 해야 하기에 우릴 떼어내려 했다. 그러다
보니 반대되는 두 입장이 충돌하여 엄청 싸웠다. 그러나
진짜 문제는 따로 있었다. 흔히들 말하는 아침전쟁이
심했다. 내 기억 상에서 우린 아침마다 싸웠다.
엄마의 입장에선 나를 학교에, 동생을 유치원에
데려다주고 버스를 두 번이나 갈아타고 늦지 않게
학교에 가야 하다 보니 마음이 급했고, 나나 동생은
엄마한테 맞춰서 일찍 일어나야 하고, 다른 친구들보다
일찍 등교를 하는 것이 굉장히 못마땅했다.
나는 아침 8시도 채 되기 전에 등교를 하고, 아무도 없는
교실에 덩그러니, 혼자 앉아있는 게 너무 싫었다. 그래서
일부러 더 늦게준비 하기도 했었는데, 그럴수록 엄마의
화는 더 커졌고, 내 마음도 더 상해갔다.

그런데도 그런 상황에 대해서 엄마나, 엄마가
아니더라도 다른 어떤 누군가와도 얘기를 해볼 생각을
하지 않았다.

우리의 문제에 대해서 주변 사람들과 다만 조금이라도 나눴었다면 좋지 않던 우리의 상황에 대해서 누군가 한 명쯤은 뼈가 되고, 살이 되는 조언을 해 주지 않았을까?

지금도 난 가끔 생각한다. 만약 그때 내가 누군가를 붙들고 내 상황에 대해 얘기할 기회가 있었더라면, 그래서 누군가에게 조언을 들었더라면 나는 과연 엄마의 학교에 대한 부정적인 인식을 조금이라도 없앨 수 있었을까.. ?

하지만 그건 정말이지 불필요한 생각들이다. 그때의 내겐 그렇게 나의 힘듦에 대해서 누군가와 나눌 생각을 할 정도의 수준이 되지 못했을 때니까, 그리고 그건 당연한 일이다. 왜냐면 그때의 나는 너무 어렸으니까 말이다.

우리의 이런 갈등은 점차 나아져 갔다. 싱겁다고 느낄 수도 있지만 시간이 모든 걸 해결해 주었다. 사실 우리뿐만 아니라 세상 모든. 문제들은 시간이 해결해 준다.

상황이 나아져 간 건 엄마가 대학졸업을 얼마 남겨놓지 않은 시점이었지 싶다, 그러니 정확히는 내가 중학교라는 새로운 출발선에 놓였던 그때였다.

내가 중학교에 입학했던 해 4월, 내 부모님은 내게 내생에서 가장 큰 선물을 해주셨다, 돈 많은 사람들만 타는 거라 생각했던 전동휠체어가 내게도 생겼다. 사람들은 그깟 전동휠체어가 뭐라고 인생에서 가장 큰 선물이냐고 들 할지 모르겠지만, 내겐 달랐다. 그 휠체어가 생기고 세상이 달라진 느낌이었다. 예전보다 혼자 할수 있는 일들이 많아져서 좋았다. 어른의 길로 한 발짝 더 나아간 느낌이랄까..

그렇게 내가 혼자 할 수 있는 일들이 점차 많아지면서 엄마에게도 비교적 많은 여유가 주어졌다. 물론 당시 학교의 반대(안전상의 이유)로 등하교는 계속 엄마와 함께하지만, 적어도 치료스케줄은 혼자 소화할 수 있게 되었으니 엄마가 공부할 시간이 많아졌다. ... 라고 생각했지만 그건 내 생각이었다. 우리 엄마는 내가 생각한 것보다 훨씬, 진짜 훨씬 강인한 사람이었다. 이 정도면 강한 게 아니라 무서운 사람이란 지칭이 맞는 게 아닌가. 하는 고민이 들 정도로 말이다.

*

엄마의 하루는 이러했다. 아침에 나를 학교에
데려다주고 대학교에 갔다가. 저녁에 날 픽업해서
집으로 온다. 그러곤 옷도 못 벗은 채 주방에 들어가
인터넷 강의를 틀어놓고 부랴부랴 저녁밥을 준비한다.
그러곤 대충 끼니를 때우고 알바를 간다..

솔직히 그렇게 까지 열심히 사는 엄마가 잘 이해되진
않았다. 그래, 물론 아빠 한 사람의 월급으로만 사는 게
그리 쉬운 일은 아닐 거다. 아빠가 그리 높은 월급을
받아오는 건 아니었으니까. 하지만, 아무리 그렇다
하여도 나 같음 그렇게 못 했을 것이다.

대학생들 중에서 학업과 알바를 병행하는 사람들도 물론
많지만, 거기다 육아까지 함께하는 사람은 거의 드물
것이라 생각한다. 오죽하면 어느 명절날, 아빠가
큰아버지들과 함께 한잔 하시며 이런 얘기를 하셨다. -난
저 사람 학교 다니다 중간에 포기할까 봐 걱정 엄청
했었어.-라고. 솔직히 나 역시 그렇게 생각했다. 애초에
엄마의 졸업에 대해선 생각조차 해본 적이 없다. 엄마가

4학년이 될 때까지도 말이다. 그런데 그건 나뿐만이
아니었나 보다. 큰아버지들도 하나같이 입을 모아
아빠에 말에 공감하셨다. 그러니 주변사람들 거의모두가
불가능할 것이라고 생각했던 일을 우리 엄마가 이뤄낸
샘이다. 그러니 이 얼마나 위대한 일인가 말이다.

그런데도 엄마는 남들 앞에서 자랑 한번 하지 않으신다.
친척들이 모이면 거의 항상 엄마의 학교 이야기와 취업
이야기가 나온다. 그러나 그건 꼭 상대가 먼저 꺼낸다.
결코 한 번도 엄마가 먼저 그 이야기를 꺼내지 않는다.
누군가는 당연히 그래야 하는 거 아니냐, 그게
자랑거리는 아니지 않냐는 반응들을 보일지도
모르겠다만, 옆에서 우리 엄마의 치열하던 7년을 지켜본
사람이라면 절대, 결코 그럴게 말할 수 없을 것이라
장담한다.

*

정말 공부를 열심히 하고 잘하는 사람들은 4년이면
일반적으로 학교를 졸업한다. 그래서 난 당연히 우리
엄마도 4학년을 마치면 졸업을 하는 줄 알았다. 아니,
그런데 웬걸, 초등학교 중학교처럼 쉽게 졸업을 할 수
있는게 아니었다. 들어가기보다. 나오는 게 더 힘든 것이
대학교란걸 그때는 미처 몰랐던 것이다. 그런데 그것을
몰랐던건 나뿐이 아니였던 것 같다. 어쩌면 엄마 역시도
그랬던 게 아닐까?

그리고 그 사실을 우리는, 아니, 엄마는 너무나 뼈저린
방법으로 알게 되었다. 호기롭게 첫 도전장을 내민
졸업시험에서 완벽하게 뚝 떨어져 버렸다. 아마 엄마는
그때에 알았을 것이다. 이게 결코 쉬운 일이 아니란
사실을 말이다. 근데 어떻게 보면 엄마가 첫 시험에서
불합격이란 결과를 낳은 것은 당연한 일이었을지도
모른다. 아니, 그것은 당연한 결과였다. 물론 그녀의
노력이 부족했다거나 공부실력이 부족해서가 아니었다.
당연히 그 부분에 대해 얘기하고 싶은 건 아니다. 그런
의도를 가진 것도 아니고 말이다.
그렇다면 난 왜 그녀의 불합격이 당연하다고 얘기한
것인가, 사실 어떻게 보면 내가 한 얘기는 당연한
얘기이다. 그녀는 낮에는 학교를 다니며 공부를 하고,
저녁엔 하루에 5시간짜리 알바를 하고 있고, 그리고
집에 오면 그 집에는 아직 인간이라고 부르기도 좀 그런
어떨 때는 의사소통도 잘 안 되는 골칫덩어리들이..
그것도 한놈도 아니고 둘씩이나 있으니 말이다.

... 그렇다. 지금 계속 애써 돌려 말하고 있지만.. 결국 그 모든 일들, 즉. 그녀가 불합격한 이유는 대부분 우리의 탓이다. 물론 다른 이유들도 분명 있겠지만, 가장 큰 이유는 우리 때문일 것이다.
결국, 또 우리가, 내가 그녀의 발목을 잡은 것이다. 참 미안하게도 말이다.
어쩌면 우리 주변에 많은 사람들이 지금 나와 같은 생각을 하고 있을지도 모르겠다. 장담컨대 누구 하나는 꼭 그렇게 생각했을 것이다, 애들 돌보다가 본인 공부 제대로 못 해서 시험도 떨어진 게 아니냐고 말이다.
그리고 또 어쩌면 당사자인 우리 엄마 역시 그런 생각들을 해봤을지도 모르는 일이다. 하지만 그녀는 우리 앞에서, 아무리 화가 나더라도 그런 얘기는 꺼내지 않았다.

사실 애초에 엄마의 성격 자체가 그렇다. 무슨 일이 생겨도 누굴 탓하기보단, 다시, 더 집중해서 그 일을 해낸다. 난 그런 엄마의 삶의 방식이 참 대단하다고 생각했었다, 그런데 사실 그런 건 대단한 게 아니라 당연한 걸지도 모른다. 다만 그 당연한걸 못 해내서 문제고, 당연한걸 당연하지 않다고 생각하게 만드는 엄마 같은 사람이 있어서 이 세상이 제대로 돌아가는 게 아닐까? 그러니 뭐든 포기하지도, 누굴 원망하지도 말고 그저 내 앞에 주어진 내 삶을 열심히 살아가면 되는 것 아닐까? 그러다 보면 꽤 괜찮은 세상이 만들어 질지도...

난 이 중요한 인생의 교훈을 엄마를 통해 배웠다.

그녀는 앞서 내가 말했던 삶의 모습과 정말 똑같게 살았기 때문이다.

그녀는 첫 시험을 실패하고 나서 얼마 쉬지도 않고 바로 재수준비를 하였다. 하지만 재수 역시 그다지 좋지 않은 결과를 가져왔다. 하지만, 그럼에도 그녀는 포기하지 않았다. 오히려 인터넷을 비롯한 모든 것을 단절하고 오로지 시험에만 집중하였다. 그리고 꿈은 이뤄진다던 이름 모를 누군가의 말처럼, 결국 승리는 내 어머니의 것이 되었다. 그날의 뜨거운 함성과 엄마가 췄던 춤, 아빠의 웃음이 아직도 잊히지 않는다. 그래서 시간이 얼마 지나지 않은 것 같단 생각이 자꾸만 드는데, 그게 벌써 1년 반 전의 일이다. 그리고 어느새 우리 엄마는 선생님 소리 듣는 어엿한 물리치료사가 되었다. 나는 요즘 아침이면 기분이 좋다. 유니폼을 입고 출근준비를 하는 엄마의 모습과 그녀의 왼쪽 가슴팍에서 반짝이는 명찰이 너무 멋있고 좋기 때문이다. 심지어 가끔은 엄마보다 내가 엄마의 유니폼을 더 좋아하는 것 같단 느낌이 들기도 한다.

*

'개천에서 용 난다'는 말이 엄마를 볼 때마다 늘 생각난다. 그리고 그럴 때마다 묘한 자부심이 생긴다. 그만큼 난 우리 엄마가 너무도 자랑스럽다.

나의 첫 롤모델은 나의 어머니였다. 그래서 가장 닮고 싶은 사람 역시도 나의 어머니였다. 나는 그것이 얼마나 감사한지 모른다. 나의 어머니가 좋은 사람 이어서, 내게 보여주신 그녀의 삶이 너무도 아름다워서, 세상에서 가장 닮고 싶은 사람이 당신이라서, 내게 얼마나 큰 행복인지 모른다.

#. 마치며
첫 작품의 첫 파트라서 걱정도 많았고 위기도 많았고 생각보다 한 글자 한 글자 쓰는것이 어렵더라고요.
그래도 이렇게 무사히 마지막을 장식하게 되어서 너무 기쁘고 모든 것에 감사드립니다. 이 글을 쓰면서 나의 어머니가 아닌 누군가의 소중한 자녀였을 아름다운 한 여자에 대해 깊이 생각하고, 그녀의 인생을 조금이나마 들여다볼 수 있는 소중한 시간을 보냈답니다. 그리고 그 시간을 보내며 나는 그녀에게 어떤 존재이고, 어떤

존재로 남길 원하나 하는 것들에 대하여 생각해 보게
되었는데요.. 전 제 어머니에게 소중한 존재가 되길
원하는 것도, 없으면 안 되는 존재가 되길 원하는 것도
아니더라고요. 그냥 딱 한 가지.. 엄마가 나로 인해
엄마가 된 것을 후회하지 않았으면.. 그거 딱 한 가지만
이뤄지면 딸로서의 제 인생은 완벽한 인생이 되지
않을까 생각 해요 제가 엄마로 인해 한 사람의 인생을
시작한 것처럼 엄마도 저로 인해 시작한 한 사람의
엄마로서의 삶이 행복하길 바라요.
아무것도 없이 세상에 나와 처음 마주한 사람이
당신이라서 감사하고 행복했습니다.
-아무것도 없이 세상에 나와 처음 마주한
사람이 당신이라 감사합니다.. end...

2
어느 부녀 이야기

*

내가 세상에 나와 처음으로 사랑한 남자인 우리 아빠는 굉장히 무뚝뚝한 사람이었습니다. 또 굉장히 한결같은, 그리고 우직한 사람이죠. 어릴 적 나는 아빠를 일 년에 한두 번 밖에 못 보고 자랐습니다. 아빠의 직장이 타지에 있던 탓이었습니다. 그래서였을까, 우리 가족이 아빠가 일하는 곳 근처로 이사를 가 같이 살기 시작했을때, 저는 무뚝뚝하고 덩치 큰 우리 아빠가 무서웠던 기억이 있습니다. 물론 그는 가정에 헌신적인 사람이었고, 어쩌면 저나 제 동생에게도 꽤나 다정한 아버지였을지 모릅니다.
그런데도 난 아빠가 무서워, 아빠의 앞에만 서면 안 그래도 떨리는 목소리가, 많이 더듬는 나의 말소리가, 더 듣기 힘든 말투로 바뀌우곤 했습니다.
아마 아빠는 딸의 그런 말투가 화가 났을 겁니다. 음... 화가 난다는 건, 아빠가 제게 본인의 감정을 표현하는 방식이었던 것 같습니다. 즉, 화가 난다던 아빠의 말을 번역하면 아마도.. 속상하다 또는, '마음이 아프다' 라는 뜻이 될것 같습니다.

당연히 마음도 아프고, 속도 많이 상했을 겁니다.
하나뿐인 딸이 병으로 인해 말도 제대로 잘 못하고, 또 뻑하면 넘어져 부러지고, 찢어지는데, 마음 아프지 않을 부모가 세상 어디에 있겠습니까.
하지만 그때의 난 아빠의 마음을 알지 못했습니다.
어쩌면 그것은 당연한 일이었던 걸 지도 모르겠습니다.
지금도 정확히 이해되지 않는 아빠가 내는 화의 의미를 어렸던 제가 어찌 알 수 있었을까요? 그래도..
다행이었을까요? 어렸던 전 아빠의 마음도 이해할 줄 몰랐지만, 화를 내거나 대드는 법도 몰랐습니다. 그래서 뭘 한다고 해봤자 서럽게 우는 것 말고는 별 다른 게 없었습니다.
그 덕에 앞서 말한 것과 비슷한 일이 일어나도 비교적 조용하게 넘어가 평화가 유지되곤 했었죠.

하지만 그런 평화도 오래 유지되진 않았습니다. 제가 사춘기를 겪을 때, 그 평화는 산산조각이 나고 말았죠. 당시에 저는 도무지 아빠의 행동과 그가 지닌 성격을 이해해 줄 수 없었습니다. 아니, 까놓고 말하면 이해할 생각이 없었던 걸 지도 모릅니다.

억울했습니다. 넘어져서 아픈 건 난데, 말 똑바로 못 하는 건 내 잘못이 아닌데, 왜 나한테 화를 내고 다그치는 건지 몰라 억울하였고, 그 억울함은 점차 화로 변하였습니다.

커갈수록 많은 걸 배우고, 익히며 많은 지식이 생긴다 해서 전에 있던 지식이 없어진다면 그건 단단히 잘못된

것일 겁니다. 그러나 사춘기를 겪으며 꼬일 대로
꼬여있던 제겐 예외인 얘기였나 봅니다.
자신이 불리하거나 억울한 상황에 처하면 자기 자신을
대변하고, 그 과정에서 필요하다면 화를 내는 법도
익혔는데, 그런 대신 어릴 때처럼 참거나 조용히
넘어가는 법은 까먹은 듯 보였습니다. 그래서 그랬나
봅니다.
아빠가 조금만 화를 내 거나 쓴소리를 하면 바로 같이
화를 내고, 듣기 싫은 티를 팍팍 냈습니다.
그럴 때 '아, 우리 딸이 사춘기를 겪느라 그러나보다'하고
이해를 해주고, 한두번 그냥 넘어가 줬더라면 참 좋았을
텐데.. 아빠의 사전에 그런 것 따윈 없었습니다. 꼭 제가
화를 낸것보다 더 크게 화를내고 꾸짖으셨어요.
누군가에게 지거나 져주는 것을 죽기보다 싫어하는
아빠에겐 딸도 예외는 없었으니까요. 그리고 그런
아빠의 성격을 제가 꼭 닮았나 봅니다. 상대가 어른이
됐던 아이가 됐던 지는 걸 정말 싫어했으니 말입니다.

*

그때 저는 우리가 어떤 저주에 걸린 것은 아닐까
생각했어요
저흰.... 싸우고, 싸우고, 또 싸웠습니다.

그런데 웃긴 건 그렇게 서로 치고받고 난리 법석을 떠는
와중에도, 부모와 자녀의 연은 무시할 수 없었던걸까요?
우리 두 사람은 성격도, 하는 행동도 굉장히 많이
닮아있었습니다. 그래서 더 힘들었지 않았나.. 하고

생각하곤 합니다. '과유불급'이란 단어와 아주 잘 맞는 상황이었던 것 같아요. 하는 행동도, 생각도 너무나 똑같은 둘이 만난 것이다 보니 맞는 길이던 틀린 길이던 두 사람 다 같은 길만 바라보고 있어서 아무리 틀린 곳으로 걸어가도 둘 중 누구도 우리가 잘못된 길로 가고 있다고 단호하게 말해주고, 바른길로 갈 수 있도록 이끌어줄 생각을 못 했던 거죠.
이때 처음으로 꼭 성격이 같다고 좋은 것만도 아닐 수 있겠단 생각을 했었습니다.

아빠도 저도 싸우고 돌아서면 금방 잊어버리고 다음에 그 사람을 만나면 아무 일도 없었던 것처럼 대하는 성격인데요, 어떻게 보면 좋은 점이 될 수도 있겠지만 저희 상황에서는 둘의 그 성격이 약보단 독이 되었던 것 같아요.

분명 지난 주말에 내가 먼저 소리를 쳐서 다퉜었는데, 그 사실을 까맣게 잊고 있다가, 이번 주말에도 또 같은

실수를 반복해 또 다툰다거나 하는 일들이
많았었어요.
상대의 잘못은 잃어버리고 내 잘못은 반성을 한다면 참
좋았을 텐데, 상대의 잘못은 물론 내 잘못까지
잃어버리니 문제가 됐던 거죠.

*

정말 말도 안 될뿐더러 참 바보 같기도 한 이야기죠
하지만 그때의 저는 우리의 이야기가 잘못됐단 걸, 아주
바보 같은 행동을 반복하고 있단 걸 인지하지 못했던 것
같아요. 그러다 보니 자기 자신의 잘못을 깨닫긴커녕
오히려 상대를 비난하고, 상대의 잘잘못을 따지기
바빴던 거죠.

그때 저는 바보같이 우리의 상황을 아빠의 탓으로
돌리고, 내가 처한 상황을 욕했어요. 내 단점을 찾고,
상황을 좋은 쪽으로 바꿔도 모자랄 시간에 자꾸
반복되는 상황이 저주에 걸린 것이냐, 우리가 딜레마에
빠진 것이냐 하며 투덜거리기 바빴던 거죠.
근데 지금에 와서야 드는 생각은.. 어쩌면 아빠 역시도
저와 같은 생각을 했을 수도 있겠단 생각이 듭니다..

그래서 상황이 그렇게 안 좋게 흘러갔나.. 뭐 그런
생각도 들고요.
아마 그런 위태로운 시간들은 일 년 가까이 우리를
괴롭혔던 것 같습니다. 내게, 그리고 저희에게 그시간은
정말이지 너무도 힘든 시간이었습니다.

우리의 상황이 점차 좋아지기 시작했던 건 아마 제가
중학교에서의 마지막 겨울방학을 보내던 무렵이었던 것
같습니다. 그때가 바로 제 인생에서 가장 소중한 친구를
얻었을 무렵입니다. 그때 마침 제 사춘기가 지나감과
동시에 친구가 주는 편안함과 안정감을 느끼던
시절이었거든요, 이때 제 문제들이 정말 많이 해결이
되던 시기였고, 다행히 어찌 보면 제게 가장 큰 문제였던
아빠와의 갈등에도 해답이 보이기 시작했습니다.

내게 안정감이 생기니 주변을 돌아볼 여유가 생겼던 것
같아요. 그동안 보이지 않았던 주변의 것들이 보이기
시작했으니 말입니다.
그때 처음으로 아빠의 진짜 속마음을 봤던 것 같습니다.

퇴근길에 사 오시던 빵과 우유에서, 가끔 엄마가 없을 때 나의 밥을 챙기던 그 자상함에서, 잊고 있던 아빠의 웃음 속에서 나는 그의 진심을 보았습니다. 그리고 내게 보인 아빠의 마음을 하나하나 읽어나가기 시작했습니다.

*

그렇게 아빠의 마음을 읽어가다 보니 '아, 아빠에게는 이게 최선이었겠구나..'하는 생각이 들더군요.
제가 그렇게 느낀 이유는 아빠의 어릴 적 상황에 있었습니다.
3남무녀의 막내로 태어난 아빠는 무뚝뚝한 아버지와 엄한 어머니, 그리고 자신과 아주 닮아, 우직하고 속 얘기라고는 하나도 할 줄 모르는 두 형과 자라났습니다.
그러니 그가 본인 자녀라고 친절하게 타이를 줄 알았겠습니까? 아니요, 그는 전혀 알지 못했을 것입니다. 또한 그걸 배우고 익혀 자녀에게 써먹을 생각 역시도 하지 못했을 거예요. 그리고 그건 아마도 본인이 한평생 보고 자라온 교육 방식과 전혀 다른 방식에 대해 필요성을 전혀 느끼지 못했기 때문이겠죠.

물론 그렇다고 해서 제가 한 이 이야기가 그동안 써왔던 잘못된 교육방식에 대한 면제부가 될 수는 없겠지만 이 이야기를 통해 아빠가 그렇게 할 수밖에 없었던 이유를 조금이나마 알게 된 것 같아서 좋았습니다.

저는 이것을 시작으로 더욱더 많은 부분을 이해하기
시작했습니다.

사람이 사람에게 미치는 영향력이 정말 크다고들 하죠.
우리 역시도 그랬습니다.
아빠를 이해하기 시작하며 그를 대하는 내 태도가
변화하였고, 그러한 나의 변화를 통해 아주 천천히
아빠도 변화하기 시작했습니다. 그동안은 귓등으로도
듣지 않던 엄마의 충고를 조금씩 받아들이고, 자신의
교육방식을 바꾸고자 노력하는 모습이 보이기
시작했습니다.

그리고 또다시 시간이 흘러 약 일 년 정도 지난 지금
우리 부녀의 모습은 예전과 많이 달라져 있습니다. 이제
더 이상 우리 사이에서는 어색함도, 불편함도 찾아볼 수
없어졌습니다.

저는 이제 아빠가 무섭지 않아요 무섭게만 느껴지던
아빠의 큰 덩치가 이젠 너무도 듬직하게 보인답니다.
그러니 자연스럽게 말도 잘하고 실수도 딱히 하지
않는답니다.
그래서 그런지 아빠와 대화를 나누면 참 재밌어요 둘이
개그 코드가 꽤 잘 맞거든요.
이젠 서로 너무 친해져서 장난도 많이 치고 농담도 많이
주고받는답니다.

그런 모습을 옆에서 큰 어머니나 다른 친척들이 보시면
장난의 정도가 지나치다고 느끼셨는지 제게 적당히
하라는 말씀을 많이 하셨습니다.
평소라면 제가 다른 사람에게 욕을 먹은 거니까 좀
기분이 그다지 좋지 않았을 텐데, 그때의 저는 기분이
나쁘기는커녕 오히려 그 말을 듣고 참 신기하다고
느꼈던 것 같아요
아마도 그건 몇 년 전만 하더라도 아빠랑 막 장난을 치는
걸로 혼날 거라곤 생각도 못 했었기 때문이었겠죠?

그런데 그렇다고 해서 처음부터 장난 한번 쳐본 적 없는
재미없는 부녀사이는 아니었어요. 오히려 저희 둘 다
장난
치기를 좋아하는 성격이었죠. 그런데 그럼에도 불구하고
우리가 그동안 가벼운 농담 한 번 주고받지 않았던
이유는 거의 일 년 가까이 냉전상태였던 것도 있지만
아빠의 농담이나 장난을 받아주기엔 당시의 내가 너무
어렸던 탓도 있었던 것 같습니다.

아빠랑 장난을 치다 보면 늘 마지막에는 내가 울음을 터트려 큰소리가 났었기 때문에요.

그랬던 제가 훌쩍 커서 먼저 아빠한테 장난도 걸고 아빠의 장난도 잘 받아주는 모습에 할머니는 이젠 네가 많이 커서 아빠가 짓궂은 장난을 쳐도 울지 않고 받아준다며 장하단 말씀을 많이 하십니다.

요즘 부쩍 집에서도 밖에서도 많이 컸다는 말들을 많이 들어요. 그리고 항상 그 말 뒤에 엄마아빠가 참 잘 키웠다는 말이 따라오곤 합니다. 예전에도 가끔씩 듣던 말이었지만 요즘따라 그 말들이 더욱이 제 가슴에 와닿는 것 같아요.

만약 육아가 하나의 게임이라고 친다면 저 같은 애들은 아마 승급 전이나 하이레벨에 나올만한 뭍지르기 어려운 캐릭터가 아닐까 생각합니다. 그리고 그 게임 속 승급 전을 무사히 끝낸다면 박수를 받고, 대단하단 소릴 듣기 마련이겠죠. 게임 한판 이겨 좋은 성적을 거두어도

대단하단 소리를 듣는 세상에 게임과는 비교조차 하기
힘든 육아의 보스를 이기게 되면 대체 어떤 칭찬을
어떻게 받아야 하는 걸까요? ...
하지만 우린 그런 것에 대해 생각해 볼 시도조차 하지
않습니다. 그리고 심지어는 부모님의 수고와 우리에게
베풀어준 은혜를 당연하다고 여기기도 합니다. 그럼에도
불구하고 부모님은 우리에게 세상 끝 날까지 최선을
다해 사랑을 주십니다. 나는 이 사실이 미치도록
감사합니다.

앞서 말했듯 밖에 나가서 '너 정말 잘 컸다'이 짧은
한마디조차도 난 나 혼자의 힘 만으론 들을 수 없을
것입니다.
좋은 것만 골라 먹이고 입혀주신 덕에, 또 그런 것을
해주고자 뼈 빠지게 돈을 벌어오신 덕에 그런 이쁜
칭찬들을 들을 수 있는 게 아닐까.. 생각합니다.

지금 와 생각해 보면 그때 아빠와 치고받고 싸웠던
시간들이 후회가 되기도 하지만, 후회보다 더 큰
감사함이 있어요. 말도 안 된다고 생각하실 수도 있지만
제겐 그 시간들이 굉장히 소중하게 느껴져요 힘든
시간들이 지나고 보면 뼈가 되고 살이 되어 날 성장하게
만들었으니까요.
정말 어쩌면 치고받고 하던 그 시간이 없었더라면
아직도 난 아빠를 이해하지 못했을지도 모르겠어요.

지금의 제 기억 속에는 아빠에 대한 서운함이나 분노가 거의 없어요 참 감사하게도 말이죠. 아빠한텐 어떨지 모르겠네요.

지금 현시점에서 내가 지난날 우릴 회상하면서 모든 게 우리의 성장을 도운 아름다운 것들이라 말하는 것처럼 아빠에게도 지난날 추억으로 가볍게 회상할 수 있는 추억거리로 자리 잡았으면 좋겠습니다.
그리고 말해주고 싶어요. 사춘기 핑계로 힘들게 한 것 미안하다고, 내가 힘들었던 것과 똑같이 아빠도 힘들었을 텐데 잘 지나가줘서 고맙 다고, 그리고 앞으로도 잘해보자고요..

*

'큰 딸의 사춘기'라는 큰 산을 이제 막 넘은 아빠의 앞에 예쁘게 포장된 길이 펼쳐졌더라면 참 좋았을 텐데, 산 넘어 산이라고 지금 저희 아빠는 또 하나의 큰 산을 넘고 있습니다. 제가 사춘기를 넘긴 지 얼마 되지도 않았는데, 지금 저희 집 막내가 또 사춘기를 앓고 있습니다. 꽤 심하게 말이죠. 지금 처해있는 상황만을 보면 정말 심각한 상황으로 보일지 모르겠어요. 하지만 전 너무 심하게 걱정하지 않아요, 멀리 내다보고 꾸준히 앞으로 걸어 나가다 보면 분명 아름다운 목적지가 보일 거란 것을 너무도 잘 알고 있으니까요.

그리고 내게 보였던 것처럼 아빠의 서툴고도 아름다운 마음이 꼭 제 동생에게도 보일 것이고, 그 진심이 둘을 목적지를 향해 가는 동안 굳건히 붙들어 줄 것이라 믿으니까요

마치며..

이번 파트에서는 ‘부녀의 갈등’이란 한 가지 주제를 중점적으로 다루었다.

이렇게 한 가지만 다뤄내고 싶단 생각을 했던 이유는 이 이야기가 우리 두 사람의 관계를 좋은 쪽으로 바꿔줬고, 끈끈한 사이가 되는 데에도 진짜 큰 도움을 줬기 때문이었다. 그럼에도 내 선택에 대해 끊임없이 의심이 갔다. 한 가지만을 다루었을 때 독자들이 지루하진 않을까 하는 작은 걱정부터, 분량에 대한 걱정까지 크고 작은 걱정근심들이 내 앞을 가로막았다. 그런 것들을 걱정하다 보니 하루에 한자도 못 썼던 날도 꽤 많았다. 그래서 나는 잠깐 키보드를 옆으로 밀어놓았다. 며칠 동안 글을 쓰는 대신 기도를 했다. 조금 과장해서 이때 한 기도가 내 인생 살면서 했던 기도의 반은 되는 것 같다.

그리고 기도응답을 받았다. 아주 완벽하게 말이다.

나는 가장 중요한 한 가지를 잊고 있었다. 이 책을 계획하며 난 독자들이 아무리 욕을 해도 괜찮으니 내 사람들만 생각하고, 그들을 웃게 할 수 있는 글을 쓰자고 다짐했었다, 그래놓고 바보같이 분량을 걱정하고, 분량으로 인해 내게 올 수익이나 따지고 앉아있었던 것이다. 난 내가 너무도 한심했다. 누가 나 좀 한 대 때려줬으면 좋겠다고 생각했다.
하지만 그 이상의 후회는 하지 않았다. 이미 너무도 잘 알고 있었기 때문이었다. 후회하고 자책하면서 아까운 시간 버리기보다 그 시간에 내가 저지른 실수를 조금이라도 더 바로 잡아야 한단 사실을 말이다.
그리고 난 그동안 썼던 원고를 지워버렸다. 그리고 나는 그 무엇에도 휩쓸리지 않았다

그 후 나는 점차 우리의 이야기에 완벽하게 집중할 수 있었다, 많은 우여곡절을 겪었고 결국은 또 한 사람을 위한 글 한편이 만들어졌다.

난 이 글을 쓰며 점차 성장해 나가는 우리의 모습이 보여서 너무 좋았다. 다시, 또 한 번 아빠의 마음을 볼 수 있었기에, 또 더욱더 감사한 시간이었다. 글을 반쯤 썼을 때 가슴이 후끈 달아올랐고, 이 글의 막바지에 다 달았을 땐 가슴이 너무도 뜨겁게 뛰었다. 그 정도로 그냥 모든 것에 감사했다.

아빠의 얼굴을 마주하면 오글거려서 글을 제대로 못 쓸까 봐 주말에는 최대한 방에만 있었다. 그러다 오늘, 식사시간에 아빠의 얼굴을 보았다. 말없이 내 밥 위에 반찬을 올려주셨고, 난 말없이 반찬을 받아먹었다.
그러다 문득 살면서 딱 한번 아빠랑 부둥켜안고 울었던 게 생각났다. 그때 흘렸던 아빠의 눈물은 미안함과 또 미안함과 미안함에 흘린 눈물이었다. 아빤 날 보며 마음이 아프고 미안하다며 눈물을 흘렸다. 내 입장에서 아빠는 내게 미안할게 전혀 없었다
.. 아마도 그게 자식들은 이해할 수 없는 부모의 마음인가 보다.
내가 거의 입버릇 처럼 하는 말 중에 '빨리 크고 싶다..'라는 말이 있다. 처음에 그 말을 쓴 이유는 어른이 되면 자유롭게 내가 하고 싶은 일을 할 수 있지 않을까.. 하는 지극히 이기적인 생각으로 쓰기 시작했다. 그런데 지금은 그 뜻보다 조금 더 크면 엄마아빠의 마음을 이해할 수 있지 않을까 하는 생각으로 그 말을 할 때가 많다. 빨리 커서.. 하늘처럼 높은 그리고 넓은 부모님의

마음을 이해하고, 그 마음에 보답할 수 있었으면 좋겠다...

-어느 부녀 이야기 end...

3

기억 없는 사랑에 대하여

*

지금까지 살면서 만들었던 행복한 기억들과 소중한
추억들, 힘들었지만 내 인생에 약이 되었던 경험들은
'기억'이라는 이름으로 내 머릿속에 고스란히 저장 돼
있다. 그런데 어느 날 문득 궁금해졌다. 내가 소중하게
간직하고 있는 이 기억들은 과연 언제부터 시작됐을까
하는 궁금증이 생긴 것이다.

그리고 난 많은 생각과 고민 끝에 결론을 냈다. 내
기억들 중 가장 오래된 기억은 4살 때부터였던 것 같다.
물론 정확하진 못 하겠지만, 그 쯤에 어딘가에서부터
시작된 것 같았다.

난 궁금한 것이 참 많은 사람이고, 한 번 궁금해진 것은
꼭 해결해야 마음이 놓이는 성격을 가지고 있다. 그런데
이번엔 다른 날들과는 많이 달랐다. 궁금증을
해결했는데도 속이 시원하지 않았다. 오히려 마음속
어딘가 한 곳이 꽉 막힌듯한 느낌이 들며, 가슴이
저릿저릿 많이도 아파왔다.

4살 무렵부터 지금까지, 수도 없이 많은 기억들 중에
나의 할아버지에 대한 정확한 기억은 5컷도 채 되지
않았다. 그리고 안 그래도 얼마 없는 기억들 속에 좋은
기억은.... 거의 없는 것 같았다, 그 사실이 나에겐 가슴
찢어지는 고통을 안겨주었다.

어릴 적 나는 유명한 할머니 바라기였다. 가족과
친척들은 물론 가까운 지인들 까지도 다 알 정도로
말이다. 그런 반면에 할아버지는 그다지 좋아하지
않았다. 음.. 어쩌면 당시엔 할아버지에 대한 애정
자체가 없었던 걸지도 모르겠다. 물론 지금은, 그렇지
않지만.. 그때의 내 머릿속에 할아버지는 '우리 할머니
괴롭히는 나쁜 사람' , 그것이 슬프게도 어린 내가 그에게
붙여준 수식어였다.

그래, 물론 우리 할아버지가 나쁜 사람은 아니었다. 뭐
그러니까 예를 들어.. 술에 취해 진상짓을 한다거나
늘그막에 여자문제를 일으켰던 건 아니었다, 그리고
내가 아무 이유 없이 그분을 미워했던 것 역시도 아니다.
지금 내가 처한 상황을 봤을 때 내가 할만한 말이 아닌
것 같긴 한데.. 우리 할아버지께서는 남들과 다른,
특별한 사람이었고 어린 난 그런 할아버지를 이해하지
못했었다..

사실 지금도 할아버지와의 일들을 생각할 때면 물론
그분과 관련된 거의 모든 것들이 마음이 아프긴 하지만
가장 마음 아픈 것이 이것이다. 만약 그때 내가
할아버지에 대해 조금이라도 알고 있었더라면, 내가
조금만 더 일찍 태어났더라면.. 그렇게 아픈 기억이
만들어지지 않아도 됐었을까, 그런 생각들을 하다 보면
어느새 난 나를 자연스레 원망하며 눈물을 흘리곤 한다.
이런 행동이 좋지 않은 행동이고 습관이란 건 나 역시 잘
알고 있다. 하지만 그렇게 나라도 원망하지 않으면
가슴이 답답하고 너무 애통해 견딜 수가 없다. 사실 내가

지금 무슨 정신으로 이 글들을 써내고 있는 건지도
모르겠다. 이 답답함과 애통함을 대체 어떤 방식으로
설명해야 하는지.. 아무것도 모르겠다. 솔직히 말하면
지금도 딱 한 가지 생각밖에 들지 않는다. '왜 난 그때도
지금도 어리고, 어리석은 사람인 걸까.' 그런 생각을 하기
시작하면 끝이 나질 않는다.

내 머릿속은 정말이지 지옥이다. 그리고 이 지옥에서
빠져나갈 방법 따윈 존재하지 않는다. 아, 정확히는
하나뿐인 방법과, 한 번뿐이던 그 소중한 기회를
어리석은 내가 내 발로 걷어차버렸다..

무언가, 그리고 누군가에게 잘못을 했을 때 필요한 것은
'사과를 하고 그에 대한 용서를 받을 수 있는 용기'이다.
그리고 똑같이 내가 저지른 잘못으로 인해 죽을 만큼
괴로운 죄책감이 날 싸고돌 때, 그것을 없앨 수 있는
방법 역시도 '사과를 하고 그에 대한 용서를 받을 수 있는
용기'이다. 그렇지만 인생을 살아가며 이것을 깨닫고
익히기까지 굉장히 오랜 시간이 걸린다. 참 안타까운
일이다. 그런데 이보다 더 안타까운 것은 이 중요한
사실을 알고 나서도 이대로 인생을 살기까지 또 오랜
시간이 걸린다. 용서받을 용기가 만들어지기까지 또
정말 길고 오랜 시간이 걸리기 때문이다. 나 역시도
그랬던 것 같다. 이 사실을 알기까지 정말 많은 날들이
필요했었고 정말 많은 사건들을 겪었던 것 같다. 그렇게
힘들게 소중한 걸 배웠는데.. 그대로 살아 보기도 전에

아니, 정확히는 그것을 알기도 전에... 하늘이 무심한 탓인지. 이게 당신과 나의 운명이었던 것인지는 몰라도 그는.. 떠나셨다.

*

어느 초여름 날이었던 걸로 기억한다. 그날 나는 처음으로 엄마의 눈물을 보았다. 외삼촌의 전화를 받으며 닭똥 같은 눈물을 흘리던 그 모습을 어떻게 잊을 수 있겠는가. 당시 우리는 아빠의사업으로 인해 외국에 거주 중이었는데 사정이 변변치 못해 할아버지의 마지막을 함께하지 못했다. 참 안타까운 일이었다.

그 후로도 시간은 여느 때와 다름없이 바쁘게 흘러갔다. 그 시간 속에서 나는 많은 변화들을 겪었다. 몸이 변화했고 마음이, 성격이 변화하였다. 주변 환경이 바뀌었으며, 내 옆에 있던 사람들이 바뀌었다. 그런데 그렇게 긍정적인 변화가 찾아올 때마다, 내 삶이

괜찮다고 느껴질 때마다 할아버지에 대한 생각들이
따라왔다. 꽤 오랫동안.. 아니 어쩌면 지금까지 쭉..

그 생각들은 다 좋지 못한 생각들이 대부분이다.
그중에서도 특히 가장 많이 하는 생각이 있었는데
그것은 내가 그를 꼬집던 일과 그런 나를 업어주던 그의
모습이다. 그런 생각들이 지금까지 몇 년 동안 내 머리를
떠나지 않고 날 괴롭히고 옥죈다.

*

이 글을 쓰다 보니 지금 머릿속에 떠오르는 단어가 있다.
'바보, 그리고 멍청이...' 이 두 단어가 마치 날 위해
만들어진 단어들 같다. 난 정말 바보이고 멍청한
사람이다. 그것 말고는 무어라 말할 수 없다.

그렇게 죄책감에 빠져서 날 자책하고 원망하다 어느 날
갑자기 그런 생각을 하고 말았다. 그때.. 내가 괴롭힐 때,
꼬집고 한 대씩 괜히 툭, 툭 칠 때 따끔하게 혼 한번
내주셨다면, 그렇게 다정히 업어주지 않았더라면 난
이런 죄책감이 없이 살 수 있지 않았을까..
사실 나도 잘 알고 있다. 내가 하고 있는 생각은 정말
잘못된 생각임을.. 그럼 난 어떡해야 하는가.. 나 자신을
자책했다, 또한 어리석은 나의 운명을 탓했다. 하다 하다
아무 잘못도 없는 할아버지를 탓했다. 그렇게 별짓을 다
해봐도 나아질 줄 몰랐다. 아니, 나아지는 게 아니라

오히려 더 나빠져갔다. 그렇게 날 탓하고 내 운명을
욕해서 상황이 나아진다면 덜 힘들었을 것이다. 기꺼이
받아들였을 것이다. 그러나 내게 그런 일 따윈 일어나지
않았다.

.... 그럼.. 정말 나는 어떻게 해야 하는 걸까...

*

그러던 어느 날 친구가 자신이 본 짧은 글귀를 소개해
주었다. '기쁨은 나누면 배가되고, 슬픔은 나눌수록
줄어든다'라는 글이었다. 그 말을 듣는 순간 내 머리에
밝은 불이 켜지는 느낌
이었다. 사실 이 글은 알만한 사람들은 다 알고 있는
유명한 글귀였다. 심지어 나도 잘 알고 있는 얘기였다.

왜 그동안 그 생각을 못 했던 걸까.. 그동안 나는 내가 느끼는 그 감정들이 죄책감이라고만 생각했었다. 그런데 사실 그게 다가 아니었던 것이다. 그 감정들 속에 죄책감도 물론 섞여있겠지만 말이다.

나의 결론은 이러했다. 나도 할아버지의 죽음이 굉장히 슬펐을 것이다. 어려서 제대로 표현하지 못했던 것뿐 그리고 나이를 먹어가며 미쳐 알지 못했던 감정들이 마구마구 튕겨져 나왔고 그걸 잘못 해석한 내가 슬픔을 죄책감이란 단어로 묶어버렸던 것이다.
이런 결론을 내고 나니 조금은 마음이 편해진 느낌이 들었다. 물론 그렇다 해서 내 잘못이 아예 없어지는 건 아니지만
말이다.
그 후로 점차 나아지기까진 그리 오래 걸리지 않았다. 힘들어질 때면 할머니를 찾았고, 엄마를 찾았다. 그렇게 그를 기억하는 사람들이 모여 오순도순 이야기꽃을 피우다 보면, 추억에 젖어 들어 울기도 하고, 웃기도 하며 시간을 보낸다. 생각보다 그를 기억하고, 그리는 이들이 많았다. 나에겐 그것이 얼마나 복되고 감사한지 모른다.

그런데 이런 날들을 보내다 딱 한 가지 마음 아팠던 일이 있었다.
다들 얘기할 때 '예전에 너희 할아버지가'. '옛날에 니 아버지가...'와 같이 '옛날'이란 단어를 꼭 말머리에 붙이곤 했었다.

처음엔 나도 그랬던 것 같다. 나 역시도 늘 그런 뉘앙스로 얘길 했다. 그러다 갑자기 무서워졌다. 우리 엄마가 예전부터 자주 하시던 말이 있었는데, '말이 씨가 된다'는 이야기를 자주 하셨다. 엄마의 영향으로 나 역시도 그 말을 자주 사용하였다. 그리고 난 그 말을 좋아했다. 사람의 인생과 꼭 맞아떨어져서였다. 그날도 어김없이 친구와 통화하다 그 말을 꺼냈다. 그런데 아무 생각 없이 내뱉은 그 말이 자려고 누워서 까지도 내 머리를 떠나지 않았다. 그 말을 곱씹고, 곱씹을수록 겁이 났고, 큰 두려움이 날 감쌌다.

만약 우리의 말이 씨가 된다면 언젠가 내가 할아버지에 대한 기억을 잃어버리는 거 아닐까?

내가 이런 생각을 하는 이유는 바로 '사랑'때문이다. 정말 신기한 일이다, 피가 물보다 진하다던 어를 들의 얘기가 맞나 보다, 얼마 없는 기억만으로도 사랑을 할 수 있으니 말이다.

사랑은 언젠가 그리움을 낳고, 그 그리움은 언젠가
슬픔을 낳는다. 그런데 그 슬픔은 시간이 지나 또 다른
사랑을 낳는다. 그것은 누군가가 만들어놓은 딜레마
같은 것이다. 늘 우리 삶과 동행하며 천천히, 그러나
명확하게 반복된다. 어찌 보면 슬픈 얘기지만 또 어찌
보면 아름다운 얘기이다. 사랑엔 끝이 없단 얘기니까
말이다.

그렇다면, 나와 그분은 지금 어디쯤에 있는 걸까..
사랑일까, 그리움일까..
그것도 아니면 슬픔인 걸까. 하지만 그것은 아무런
상관도 없다. 내가 하는 사랑이 영원한 슬픔이어도
상관이 없다, 그것 조차도 사랑이니까..

사람과 사람이 만나 사랑을 하는데 가장 중요한 요소에
대해 나는 '기억'이라 말할 것이다.
상대가 날 향해 웃어주던 기억, 상대를 걱정하고,
지켜주고파 했던 기억, 심지어 질투를 하던, 그리워하던,
기억들이 모여 감정을 만들고 그것은 흔히 말하는
사랑이 된다. 또한 그런 기억들은 너무 많이도, 적게도
필요하지 않다. 처음 본 그 기억만으로도 충분히 사랑을
만들 수 있기 때문이다.

*

요즘 사실 그분의 얼굴이 점차 흐릿해지는 것 같다는 느낌을 받는다. 그 부분에 대해 상관없다고, 괜찮다고는 할 수 없다. 하지만 단 한 가지 아무리 내 머릿속에서 그분의 얼굴이 흐릿해지더라도 그분에 대한 기억만은.. '아, 그래 그때 이런

일들이 있었지..'라고 얘기를 할 수 있을 정도의 정말 가벼운 회상 만이라도 할 수 있으면 좋겠다. 그것만이라도 가능하다면, 난... 기꺼이 지금의 사랑을 이어나갈 것이다. 그것이 기억 없는 사랑일지라도 말이다.

-기억 없는 사랑에 대하여 end..

#.마치며 ..

.
오지 않는 봄날 (2021)

그대를 보던 그날이
다시 오지 않을 줄 몰랐소.

그대의 손을 잡아본지도
그대의품에 안겨본지도
너무 오래되었소.

그대를 만난 건

하얀 눈이 내리는
추운 겨울날이었지만

나의 마음속은
살랑살랑 바람이 부는
따스한 봄날이여였소.

그러나 그대 나를 떠난 뒤
내 마음속은 꽁꽁 언 겨울

팔월에도 눈이 내리는
이 세상 가장 춥고도 쓸쓸한
영원한 겨울이 찾아왔소.

이제 내 마음속에 남아있는 건
하얀 눈 속을 내달리는 설국열차뿐이요

하지만 나는 지금도 기다리고 있소
그대와 함께 와 줄 따스한 봄날을..

-긴긴 장맛비가 내리는 어느 여름날 밤,
세상에서 제일 못난 당신
손녀가요..

4
꼬마왕자의 탄생

*

내가 5살이 되던 해 11월 우리 집에 또 한 번의 기적이 일어났다.
아직도 난 생생하게 기억한다. 내 품에 안겨있던 눈도 제대로 못 뜨던 작은 생명을 나는 잊을 수 없다.

우리의 만남은 처음부터 순조롭게 흘러가지 못했다.
왜냐면 나는 그 애를 만나기 위해 아주 큰 대가를 치렀어야 했었기 때문이다.
난 그날 처음으로 엄마와 떨어져 며칠을 보냈다.
할머니를 아무리 좋아해도 그때까지 난 단 한 번도

할머니와 단 한 번도 같이 자본적이 없었다. 무슨 일이
있어도 잠은 무조건 엄마랑 자는 게
법인줄 알았던 나였다. 그런데 그렇게 생 이별을
시켜놨으니 얼마나 힘들었겠는가. 밤새 날 달래시던
할머니가 아직도 가끔 눈앞에 훤하다.

역시 그 와중에도 어찌어찌 시간은 흘러갔고 그 애와
엄마아빠가 집으로 돌아온 그날부터, 나와 내
호적메이트의 아슬아슬한 동거가 시작되었다.

*

내가 본 그 애의 첫인상은 조금 이상했다. 그렇게 느낀
이유는 아마도 그때 갓난아이를 처음 봤기 때문일
것이다. 눈도 제대로 못 뜨는 갓난아이를 처음 봤기에
그렇게 느꼈던 것 같다. 하지만 어색함도 잠시, 우린
금세 서로가 익숙해졌고, 그 시간들 속에서 그 애는
서서히, 그리고 자연스럽게 내 삶 속으로 스며들고
있었다.

나는 시간이 갈수록 느끼고 있었다. 어느 날 갑자기 나의
동생이랍시고 나타난 그 아이가 어쩌면 그다지 평범한
아이는 아닌 것 같다고 말이다.
그 애는 떡잎부터 남달랐다. 두 돌이 지났을 무렵부터 그
애는 트롯을 흥얼거렸다. 물론 곡 전체를 다 부를 수

있었던 건 아니었지만. 후렴구만큼은 음정, 박자, 그리고
가사까지 거의 모든 것이 완벽에 가까웠다.

엄마는 아직도 가끔씩 내게 그때 숏폼이 발전 돼
있었더라면 내 동생도 한인기 했을 것이라며 아쉬움을
표하곤 하신다.

그 애는 커갈수록 우리 가족에게 점점 더 큰 선물 같은
존재로 자리 잡았다. 그 애는 정말이지 우리에겐 큰
선물과 같았다.
우리 부모님은 그 애로 인해 날 키울 땐 느껴보지 못했던
기쁨을 느끼셨다. 맨날 골골거리며 누워만 있던 나와는
달리 그 애는 굉장히 건강했고, 또 엄청 활발했다. 늘
남들보다 성장속도가 빨라 남보다 빨리 말하고, 빨리
걸었다.
자식이 건강하게 자라주는 것이 부모에겐 가장 큰
기쁨이라던 말을 그 아이는 몸소 자신의 부모에게
보여주었다.

그래서 난 그 애에게 참 감사하다. 아마, 우리 가족을
품에 그 애가 와주지 않았더라면 우리 엄마와 아빠는
평생 그 값진 행복을 느껴보지 못했을 거니까 말이다.

#. 마치며..

내게 동생이 생긴 지도 어느덧 14년이 흘렀다. 어릴 적
'누나야, 누나야'하며 따라다니던 꼬맹이의 모습이 이젠
보이지 않는다. 심지어는 컸다고 자기주장이 강해져,

내게 빡빡 대들곤 한다. 처음엔 화도 많이 나고, 어이도 없었는데. 지금은.. 그냥 놔두기로 했다. 조금만 본인 마음에 안 들어도 화내고, 또 시간만 나면 엉뚱한 짓 하고 다니는 너지만, 아마 지금 본인도 진짜 자기 자신을 찾아내느라 답답한 마음에 뭐라도 해보려고 그러는 거라 믿어보기로 했다.
뭐 언젠간 훌륭하게 변해있을 그 아이의 모습을 상상하며 좀 더 인내심을 갖고 지켜볼 생각이다.. 꼭 멋진 사람이 될 거란 걸 알고 있기 때문이다.

아, 참, 그리고 어차피 중간에 포기할 거면서 왜 자꾸 원고 쓴다고 컴퓨터 저장공간 없애냐던 우리 동생.. 누나가 많이 사랑한다..!!

-꼬마왕자의 탄생end..

5

찐친의 정의

*

언제부터였는지 모른다. 왜 그런 건지도 모른다. 어느 순간, 아무 이유도 없이, 난 혼자가 되었다. 아주 자연스럽게, 내 인생에서 '친구'란 존재가 사라져 버린 것이다.
내가 혼자란 걸 알았을 땐 꽤 많은 시간이 흐른 후였다. 하지만, 어쩌면 내가 늦게 알아챈 게 아니라 그냥 인정이 안돼서 외면한 걸 지도 모르겠다. 남들 다 있는 친구가 나한테만 없단 사실이 도무지 이해가 안돼서..
그러나 그것을 인지하고 나서 그걸 받아들이는 데에는 생각보다 긴 시간이 걸리지 않았다. 날 둘러싸고 있는 주변의 상황들이 너무 적날하게 내가 혼자란걸 보여주고 있었기 때문이었다.

난 내가 처한 상황을 이해했고, 인정했다. 그러고 난 후에는 그 상황에서 벗어나고자 노력했다. 하지만 그 누구에게서도 내 노력을 인정받진 못 했다. 그때 처음 알았다. 세상은 너무나도 차갑고, 내 편은 아무도 없다고 말이다. 그러니, 나는 내가 지켜야 한다고 그때 느꼈다.

그래서 그 후론 친구를 만들려고 노력하지 않았다. 아예 날 내 세상에 가둬버렸다. 그게 고작... 초등학생 때 였다..
물론 마음이 아프지 안진 안았다. 슬펐다. 그러나 아프면 아플수록 난 날 더더욱 내 안에 가둬버렸다. 그 후 나 혼자인 게 굉장히 익숙해질 때쯤, 나의 초등학교 생활이 끝이 났다.

*

중학교 등교를 하루 앞둔 방학 마지막날, 나는 마음을 단단히 다졌다. 어차피 지금껏 혼자였으니, 앞으로도 혼자가 편할 거라고, 새로운 학교에 가서도 친구 같은 건 만들지 말자고 친구 따위 없어도 괜찮다고 생각했다.

그러나 세상은 참 이상하게 돌아간다. 이제야 모든 상황을 이해하고 인정을 했는데, 이젠 어떤 상황이 닥쳐와도 다 감당이 가능할 것 같다고 생각을 하니까. 오히려 내 주변에 친구라고 칭할 수 있는 존재들이 꽤 많아졌다. 뭐 그게 나쁜 것은 아니지만.. 아, 어쩌면 꽤 행복했지만 난 그렇게 간절할 때나 친구 좀 만들어주지, 왜 힘들게 모든 걸 인정하고 나서야 친구라는 게 생겼을까.. 하는, 조금의 의구심과, 누굴 향해있는 건지 모를 원망이 샘솟았다.

중학교 생활을 하며 나와 그나마 길게 인연을 이었던 친구들은 딱 3명이었다. 그러나 그들은 모두 나와는 다른 운명을 가졌던. 건지.. 모두 인연이 끊겨 버렸다.

제일 먼저 나와의 연이 시작되어 제일 길게 유지되었던 애는 애초에 나와 인연이 시작되면 안 되는 애였다. 그 애와 있으면 늘 즐겁지 않았다. 오히려 너무 불편했고, 그 애와의 모든 시간이 나에게는 온통 스트레스로 자리 잡았다. 결국 나는 중학교를 졸업하자마자 그 애와의 연을 정리하였다.

두 번째 친구는 정말 좋은 애라고 생각했었다. 그 애는 배려심이 넘쳤고, 날 잘 이해해 주었다. 하지만 그것도 한때였다. 그 애와 함께하는 날들이 거듭될수록 난 이상하게 그 애의 눈치를 볼 때가 많았다. 늘 그 애가 날 떠나면 어쩌나 하는 불안감에 잡혀 살았다. 참 힘든 시간이었던 걸로 기억한다. 그리고.... 그렇게 위태위태한 관계를 이어가고있던 어느 여름날, 결국 그 애는.. 날 떠나갔다..

그리고 세 번째 친구 은선, 그 애는 참 순진하고 소박한 아이였다, 군것질과 게임을 좋아하며, 시험과 수업들에

불만이 많았던.. 그저 평범하고 예쁜 여중생이었던 걸로 기억한다. 그런데 그 애와는 연이 제대로 닿지 않았던 걸까, 함께할 기회가 그리 많지 않았다. 그래서 그 애와는 별다른 트러블 없이 중학교를 졸업하며 자연스럽게 연이 끊겼다.

두 번째. 친구, 그 애와는 참 많은 시간을 함께 했었다. 그만큼 좋지 못한 기억들도 많지만 그 애에게 많이 의지했고, 수많은 감정들을 쏟아부었다. 그래서 그 애가 날 떠났을 때 너무나 아파서 죽을 것 같았다. 그때가 중학교에서의 마지막 여름방학 때였는데, 개학을 하여 학교를 가는 게 너무 싫었다. 아니, 어쩌면 날 떠난 그 애의 웃는 모습을 마주하는 게.. 무서웠던 건지도 모르겠다.
아니나 다를까, 내 예상대로 개학후 나의 학교생활은 정말이지 최악이었다. 늘 학교에 있으면 수업을 듣고, 학교생활을 즐기기보다, 언제라도 튀어나올 준비를 마친 분노와 눈물과 사투를 벌이기 바빴다. 그러나 반면, 그 애는 나완 정반대였다. 내가 보는 그 애의 학교생활은 굉장히 즐거워 보였다. 늘 그 애의 옆엔 친구가 넘쳤다. 그런 모습을 그저 지켜보며 내 마음은 항상 복잡했다. 기분이 너무 이상했다.. 늘 내 옆에서 나와 함께하던 친구, 함께 서로의 꿈을 이야기하고, 서로를 응원하며 미래를 꿈꾸게 해 주던 친구, 날 사랑하고 아끼던 그 애가 내 곁이 아닌 다른 사람의 곁에 있단 사실이 너무도 억울했고, 이상했었다.
솔직히, 좀 자존심이 상하긴 하지만, 너무 힘들어서 미쳐버리는 줄 알았다. 심지어는 왜 살아있는 건지

모르겠단 생각도 했었다. 그 일로 선생님들과 상담도
많이 해봤지만, 나아질 기미조차 보이지 않았다. 그렇게
최악의 시간을 보낸 지 어느덧 3개월이 넘어가던 어느
날, 긴긴 장맛비가 그치듯 내 삶에 다시 햇빛이 들기
시작했다..

*

그 애를 만난 건 작년9월쯤 이었던 것으로 기억한다.
누구라도 만나면 나아질까 싶어서 처음으로 은선의
교실에 찾아갔을 때
였다. 그때 은선은 자신의 교실 앞에서 처음 보는 아이와
대화를 나누고 있었다. 아주 짧게 여기에도 내 편은
없다고 느꼈다. 그렇게 쓸쓸한 감정을 갖고 돌아서려던
그때, 은선이 날 불러 세웠다.

내가 처해있는 상황 때문이었을까, 아님 그냥
운명이었을까.. 난 보통 그런 상황에선 그 자리를
피하고는 했었다. 내가 잘 아는 친구와, 내가 처음 보는
아이의 중간에 껴있으면 왠지 처음보는 아이에게 나와

친한 친구를 뺏길 것 같다고 생각하는 경우가 많아서였다. 그런데 그날은 다른 때와 달리 은선의 부름에 응했다. 속으로 또 별 생각을 다 하고, 온갖 걱정을 다 하면서도 말이다. 그리고 은선은 나와 그 아이를 서로에게 소개시켜 주었다. 내가 본 그 애의 첫인상은 굉장히 소심하고 조심스러운 사람, 그래서 쉽사리 친해지기 어려운 사람이라고 느꼈다, 그런데도 난 왠지 그 애와 친해지고 싶었다. 그 아이라면 나와 좋은 친구가 될 수 있을 것 같았다.

운명이었다..

*

정말 오랜만에 내 학교생활이 즐거워졌다. 그동안 가슴에 박혀있던 커다란 돌덩이가 사라지며, 숨통이 트이는듯한 느낌이 들었다.

그 누구도 엄마란 존재를 대신하지 못하는 것처럼, 오로지 친구만이 줄 수 있는 행복과 즐거움이 있기 마련이라는 말의 의미를 그동안 이해하지 못했었다. 그런데, 그 애를 만나고서 천천히, 차근차근 그 말의 의미를, 그리고 그 말속에 숨어있던 아름다운 가치를 이해하고 있었다.

사실 은선에게 그 아이를 소개받은 후에 그 애와 정확히 어떻게 가까워진 건진 잘 생각나지 않는다. 그만큼 우린 순식간에, 말도 안되는 속도로 가까워졌으며. 그 애는 내 인생에서 또 한 명의 중요한 사람이 되었다.

그 애가 내 친구가 된 후 내 삶은 늘 봄이었다. 3개월이란 긴 겨울의 끝에서 날 기다리던 봄빛 같이 내게 와준 그 애는 소중한 선물 같았다.

*

우린 학교 안에서도 밖에서도 늘 함께했다. 정말 많은 시간을 함께 보내고, 많은 얘기를 나누었다. 그렇게 점점 더 그 아이와 가까워질수록 난 더 뼈저린 아픔을 느꼈다, 그동안 내가 친구라 부르던 그 사람들은, 진짜 친구가 아니었단 것을 말이다. 그리고 그 애를 통해 많이 배웠다. 진짜 친구란 함께할 때 눈치를 보고, 잃을까 겁을 내거나 마음 아파하고 스트레스받을 필요가 없는 것이었다. 그저 편하고 특별한 일이 없이도 함께란 이유하나로 즐거운 사람, 모든 걸 털어놓아도 괜찮은

사람, 힘들 때 찾을 수 있는 그런 사람이 진짜친구란,
어쩌면 삶에서 참 중요한 한 가지를 배운 것 같다.

그런데 어느 순간 '사실 난 처음부터 알고 있었던 것은
아닐까?'라는 의문이 들었다. 그러니까 나는 그동안 내가
만났던 사람들이 진짜 친구가, 좋은 친구가 아니란 걸
알면서도, 또다시 혼자가 되는 것이 무서워서, 그래서
모든 걸 알면서도 현실과 마주하길 거부했고, 그렇게
점차 잊어버린 채로 아무도 없는 굉장히 추운 겨울 속에
갇혀버렸던 것 같다.
그렇게 쓰러지고, 또 쓰러지길 반복하며 끝없는 겨울
속을 걸어가는 나를 멀찍이에서 지켜보시던 어느 착한
신이 날 가엽게 여겨 빛과 지도를 보내서 봄으로
인도하신건 아닌가 하는 어떻게 보면 엉뚱하고도
아름다운 생각을 하곤 했다.

*

사실 처음엔 무서웠다.. 그 애에게는 참 미안한 말이지만
그 애도 다른 사람들과 똑같을 까봐 또 어느 순간 아무도
모르게 날 떠날까 봐 그게 너무 무서워서 쉽사리 마음을
주려고 하지 않았다. 그런데 그 애는 나와 달랐다. 내가
느낀 그 애는 늘 내게 진심이었다. 날 처음 만난
그때부터 그 아인 날 항상 진심으로 대하여 주었다. 그
애는 늘 그랬다.

정말 신기하게도, 오랜 시간 여러 사람들에게 받은
상처들과, 스트레스들이, 단 한 사람의 아름다운 마음

만으로 치유가 되었다. 그때부터였던 것 같다, 내가 다시 자존심을 되찾고, 학교에서의 일들도 즐거워지기 시작했던 것이. 그렇게 나의 학교 생활이 다시금 즐거워지기 시작했던 그때 우리의, 우리 만을 위한 세상에서 가장 아름다운 청춘영화 한 편이 시작되었다.

*

그 앤 참 특별하고 신기한 사람이었다. 그 애와 함께하는 모든 순간순간들이 마치 동화 속을 여행하는 것 같은 기분이었다.

그 애와 함께한 수많은 추억들 중에 내가 처음 해보는 일들도 많았고. 내가 언젠가 친구들과 꼭 해보고 싶다고 생각했었던 일들도 많았다.

우린 고기를 먹으러 다니고, 함께 노래방을 갔다가 목이 쉬어서 집에 돌아가기도 하고, 함께 쇼핑을 하고, 가끔은 강가로 소풍을 가기도 했었다.

예전에는 이렇게 평범하게 우정을 쌓는 일들이 특별한 일들인 줄로만 알았다. 그래서 그런 일들은 잘난 사람들이 즐기는 일상처럼 느껴졌었다. 그런데 막상 내가 느껴보니 정말 평범하게 누구나 즐길 수 있는 일상들이었다.
그런데 그 누구나 누릴 수 있는 일들이 가장 큰 행복이더라, 그동안은 왜 평범한 게 가장 큰 행복인지, '소확행'이라고 하는 것이 왜 중요한건지 잘 알지 못했고, 이해도 되지 않았었다. 그러나 사람은 뭐든 자신이 직접 겪어봐야 안다고.. 내가 직접 겪어보니 내가 평생 이해하지 못했던 그 말이 이해가 되었다. 엄청난 부와 권력, 좋은 집이나 비싼 차도 물론 우리에게 큰 행복을 줄 수 있을 것이다. 하지만 좋은 사람들과, 내가 사랑하는 사람들과 함께하는 지극히 평범한 일상 속에서 얻을 수 있는 행복과는 비교조차 되지 않았다. 왜 이제야 이런 행복을 알게 되었나, 억울할 정도로..

*

이 글을 쓰고 있는 지금을 기점으로 우리의 연이 시작된 지 1년이 되었다. 그 애에게 우리가 벌써 일 년 지기 친구라고 말했더니 벌써 그렇게 긴 시간이 지났냐고.. 왜 그렇게 시간이 빠른지, 벌써 그때가 그리운 것 같다고 했다.

나는 지금 고1, 그 애를 만난 건 내가 중학교 3학년 때..
우린 지금 서로다른 각자의 꿈을 위해 다른 학교에 진학
중이다.
벌써 고등학교 1학년의 1학기를 지나, 2학기 역시 꽤
많이 지나갔다. 그런데 사실 아직도 가끔씩 나의
마음만은 우리들의 추억으로 가득한 여전히 아름다운
나의 모교에 머문다. 뭐 항상 그렇긴 하지만, 특히 몸과
마음이 힘들 때면, 나의 예쁘고 빛나던 중학교
3학년때가 그리워진다. 가슴이 쓸 아리도록 말이다..
그렇게 아프고 그리워질 때면 항상 난 내가 한심하다고
생각한다. 도대체 왜 그때의 나는 뭔 불만이 그렇게도
많았던 걸까, 왜 사랑하는 친구와 함께하는 소중한
시간을 이보다 더 아끼지 못했던 건가.. 하는 후회와
조금의 이유 모를 절망감 때문에 말이다.

사실 고등학교에 입학하고 한동안 늘 그런 생각에
휩싸여 살았다. 지금 생각하면 늘 함께하던 친구가 내
옆에 없고, 환경은 낯설어지고, 내 옆은 네가 아닌

모르는 사람들이 가득하고.. 이런 상황들이 날 패닉으로
몰아넣었던 것 같다. 특히 매일 보던, 많이 의지했던
사람이 내 곁에서 사라졌다는 것에 대해서 영원히,
다시는 못 볼 것 같다는 이상한 생각과 불안한 마음을
가졌었다. 그렇지만 너무나 다행이게도, 그 이상한
마음가짐과 패닉상태에서 생각보다 빨리 벗어났다.
그동안 인간관계에 있어서, 친구문제에 있어서 많은
아픔을 겪으면서 알게 모르게 내면적으로 많이
성장했나보다. 그런데 아무리 성장했다고 한들
혼자였다면 어떻게 견뎌내고, 이겨낼 수 있었겠는가.
감사하게도 주변에 내 기분을 좋게 해 줄 수 있는
요소들이 꽤 있었다. 예를들어 혼자 어딘가로 놀려를
간다거나, 좋아하는 영화를 보거나,좋아하는 가수의
음악을 음악을 듣는 등등.. 여러 가지 일들을 해보며
조금의 위안을 받았지만, 확 좋아지지는 않았다. 하지만
괜찮다. 이젠 내 슬픔을 없앨수 있는 최고의 방법을 알고
있으니까.

*

학교를 마치고 집에 가면 꼭 하는 일이 하나 있다.
신발을 벗자마자 가방을 내팽개치고 옷도 갈아입지 않은
채로 바로 침대에 누워 전화를 건다, '그 애'이다.
학교를 마치고 집에 도착하면 4시 30분 정도 된다. 그때
시작한 통화는 거의 6시가 다 돼서야 끝난다. 그럼
엄마는 무슨 할 말이 매일마다 그렇게 많냐며
신기해하기고 하시고, 가끔은 공부고 운동이고 언제 할
거냐며 핀잔을 주기도 하신다. 근데 이상한 건 내가

행복해서 그런지, 그렇게 잔소리를 들어도 싫지가 않다. 평소라면 잔소리 듣기 싫어서라도 참거나, 하지 않았을 텐데 이상하게 그 잔소리는 듣기싫지도 않고, 숨어서라도 매일 같이 몇 시간씩 통화를 하곤 했다.

사실 나 역시도 통화를 끊고 나면 놀랄 때가 많았다. 분명 얼마 안한것 같은데, 통화기록을 보면 기본 한 시간 반 이상이 지나있다. 그래서 무슨 얘기를 이렇게 많이 했나 생각해 보면..
‘이번에 담임쌤 무서워 보여서 걱정했는데 겁나 웃기다’
‘내 짝꿍 암만 봐도 똘끼가 가득해 보인다.’
‘벌써 학교 가기가 싫다.’
‘학교 담장 넘고 같이 징계 먹는 거 어떻게 생각하냐’

...등등.. 특별한 듯 특별하지 않은 얘기들인데 그 시간들이 전혀 지루하지 않았다. 그러니 우리의 통화는 재미가 아닌, 좋아하는 사람, 때로는 그리움의 대상이 되기도 하는 사람과 함께한 단것에 의미를 두어야 하는 듯하다. 즉, 우리에게 통화란 서로에 대한 그리움을

해소하는 하나의 수단인 것이다. 당연한 얘기지만 꼭
얼굴을 봐야만 그리움을 해소할 수 있는 건 아니니까...

그리고 가끔은 같이 게임도 하고, 가끔은 얼굴 보고 서로
불평도 해봤다가 누구 뒤도 씹어봤다가, 서로 본인
신세한탄도 하면서 우린 여전히, 그렇지만 하루가
지날수록 당연해지고 무심해지는 것이 아니라 하루가
지날수록 서로 더 아끼고 사랑하며 지내고있다.

*

무언가 의미 있는 일을 시작했다고 너무 설레어해서도,
무언가가 끝이 났다고 좌절하고, 슬퍼해서도 안된다.
사람 사는 인생이란 시작이 있으면 끝이 있고, 끝이
있으면 시작이 있는 법이니까. 우리도 물론 그럴 것이다
정말 아름다운 지금이지만 언젠가는 어떤 형태로든 끝은
찾아온다. 하지만 언젠가는 꼭 이별이 찾아온다 하여도
우리의 끝은 부디 다른 이별과는 달랐으면 좋겠다.

계속 그 애덕에 행복하다, 늘 고맙다. 그러다 마지막에
갑자기 이런 얘기로 마무리하는 것이 맥락상 맞지
않는다고 생각할 수도 있지만, 그래서 나 역시 많은
고민을 했었지만 아무리 생각해도 이번 파트에서 꼭
다룰 필요가 있다고 느꼈다.

그 애를 제외한 나의 친구들은 늘 엉망이었다.. 마음 아프지만, 이렇게 표현하는 게 맞다. 그런데, 그런 최악이었던 인간관계를 정리하는 것조차도 너무 아프던데, 서로 사랑하고 많이 의지하던 사람과의 이별은 오죽하겠는가.. 물론 이런 얘기들을 한다고 해서 내가 그 애와의 연을 정리하겠다는 말도, 우리가 이별할 거란 말도 아니다. 그것만은 알아주길 바란다. 다만 그저 사랑하는 사람에게 꼭 전하고 싶은 이야기가 있을 뿐...

우리가 이별을 하게 되면 그동안 우리가 함께 했던 시간들과, 차곡차곡 소중히 모아두었던 추억들 마저 외면된다. 솔직히 왜인지는 잘 모르겠지만 대부분 사람들은 일부러 그 추억들을 외면하기도 한다. 사실 나 역시도 그랬었다. 그런데 시간 지나고 돌아보니 그 외면된 추억들이 아깝기도 하고 마음이 아팠다.

그래서 부디 우리만은 이별하는 날이 오더라도 우리가 함께한 추억들은 잊히지도, 지워지지도 않았으면 좋겠고, 작은 추억 하나라도 외면되지 않길 바라고,

소망한다. 우리의 추억은 그 어떤 추억들 보다도
소중하니까 말이다.

#. 사랑하는 너에게 쓰는 글

난 늘 혼자였어. 그리고 점차 혼자에 익숙해져 갔지.
그렇게 혼자가 아닌 내가 어색해져 갈 때쯤 누군가 예고
없이 내 인생에 찾아왔어. 조금은 엉뚱하고, 귀여운
아이들이 말이야. 걔들은 참 착했고, 나와 잘 맞았어.
그때 난 깨달았지. 친구라고 불리는 존재의 온도가
따뜻하다 걸 말이야. 내가 아플 때, 또 네가 아플 때 우린

늘 서로의 곁에 있었고, 그렇게 우린 점차 서로에 대해
알아갔지.
엉뚱 발랄한 아이들이 같은 교복을 입고 나란히 앉아
웃고, 떠드는 모습이 얼마나 아름다운지 사람들은 아마
잘 모를거야.

난 말야. 우리가 마치 퍼즐조각들 같았어. 생김새와
모양은 각기 다르지만, 모이면 꽤 괜찮은 그림이 되는
퍼즐 조각들 말이야. 우리가 겪은 수많은 일들과 추억들
한 편 한 편이 모두 아름다운 한 폭의 그림 같았거든.
우리에게 재미있는 별명들도 생기고, 서로 한없이
가까워지는 사이 시간은 아까울 정도로 빠르게
흘러갔지만, 그 시간들 속에서 우린 빛났고 더
큰사람으로 성장했다고 생각해..
늘 고마워 날 나로 성장케 해 줘서..

마치며..

이 파트만큼은 정말 아름다운 얘기들로 가득 차길,
그래서 언젠가 이 글을 읽을 너의 귀여운 얼굴에
아름다운 웃음꽃이 가득 피어나길 바랐어, 그래서 더
신경을 많이 썼던 것 같아. 그런데 마지막 이야기를

쓰면서 그렇게 신경 쓸 필요가 없었던 건 아닐까.. 뭐
그런 생각이 들기도 해. 너와의 모든 순간들이 참으로
아름다웠었으니.. 그냥 있는 그대로의 얘기들로
채워나가도 이 이야기는 언제나 빛나지 않을까 하는
생각을 했거든..
넌 어떨지 몰라도 나에게 작년 가을은 정말 축복이었어
내 인생이 친구란 존재로 인해 그리 찬란히 빛났으니
말이야. 아직도 난 너무 궁금해 넌 도대체 어디서 온
걸까? 보잘것 없는 내 인생에 넌 대체 어떻게 온 걸까??
온 세상 모든 사람들이, 귀여운 동물들이, 산과 들의
나무와 풀들과 하늘의 구름이, 해님 달님이 날 위해
기도라도 한 걸까? 그래서 내가 널 만날 수 있었던
걸지도 몰라..

그거 아니? 어두웠던 내 삶 속에 찾아와 준 '군계일학'
같은 널 나는 기적이라 불러.. 너를 만나 내 삶은
봄이었어. 사실 아직도 가끔 이게 진짜 현실이 맞나
생각하기도 해. 그렇게 진지하게 현실이 아니면 어쩌나

하고 생각할 정도로, 현실감을 느끼지 못할 정도로 넌
내게 크나큰 행복이야..

바보같이 착하기만 한 넌 늘 내게 그러지. 너가 해준만큼
내가 못해줘서 미안하다고.. 그런데 전혀 그렇지 않아..
오히려 미안해도 내가 더 미안하지. 넌 내게 참 복합적인
존재야. 너무 고마우면서도 미안하고.. 그래서 더
미치도록 소중한 존재이거든. 그런 널 보다보니 내게
작고 소중한 꿈이 생겼어.
나에게 있어 네가 없으면 안 되는 존재인 것처럼 나도
네게 그런 존재가 되어주고 싶고, 든든한 버팀목이
되어주고 싶단 생각이 들었어, 그래서 널 만나고나서 더
열심히 살고 있어, 정말 열심히 살다 보면 정말 좋은
사람이 될 테고 그렇게 좋은 사람이 되면 니가 언제든
맘껏 기댈수 있는 사람이 되지 않을까? 꼭 그런 존재가
될 수 있으면 좋겠다.. 그때까지 조금만 더 기다려줄래?
날 안아줘서, 내게 소중한 꿈을 심어줘서, 내게 찐친의
정의를 가르쳐줘서 너무 고마워..

-찐친의 정의

end...

6

치료실 선생님

#. 첫만남

내가 세상에서 가장 싫어하던 일 중에 하나가 바로 '재활치료'였다. 어릴 땐 정말 영문도 모르고 엄마손에 이끌려 치료를 다녔다. 그래도 나이를 먹으면 치료가 싫은 것이 괜찮아질 줄 알았다. 하지만 나이를 먹어도, 심지어는 내가 왜 치료를 다녀야 하는지 잘 알고 있음에도 불구하고 치료를 다니는 것이 정말 싫었다. 하지만 그것은 내 몸이 힘들어서도, 담당 선생님이 별로 여서도 아니었다. 내 발로 센터를 방문하고, 그곳에서 치료를 받는 일들이 내가 남들과는 다르다는 걸 나 스스로 인정하는 꼴이 되는 것 같아서 너무나 싫었다. 그래서 나는 치료실에 가는 것이 너무도 싫어 치료를 가기 전날부터 우울하곤 했었다.

하지만 감사하게도 내가 위에서 했던 이야기들이 지금은 과거를 회상하며 가볍게 할 수 있는 '옛날이야기'가 되었다.

지금은 꽤 재미있게 치료를 다니고 있다. 당장 일 년 전만 해도 상상조차 할 수 없었던 일이었다.
내가 치료를 잘 다니게 된 것은 나를 담당하는 선생님이 바뀌면서부터였던 것 같다. 원래 나를 담당하시던 선생님이 개인적 사정으로 그만두시고, 새로운 선생님 두 분이 오셨다.
어색한 첫 만남을 뒤로하고, 새 선생님과의 첫 치료를 했던 그날이 나는 아직도 생생하게 기억한다. 그날 나는 많은 감정을 느꼈다. 많이 놀랐고, 또 어이도 없었다.
그리고 꽤나 많이 억울했었다.

#. 당연하지 않은 '이유'

내가 놀랐던 이유는 전의 선생님과 지금 선생님의 치료 방식이었다. 그 두 분의 치료 방식은 180도 달랐다.
전의 선생님과 달리 지금의 선생님은 정말 기초적인 것부터 시작하셨다. 힘든 운동을 하기보단, 코어에 힘주는 방법과 같은 기초적인 것들을 배웠다. 난 이런 것들을 배워본 적이 없어서 그런지, 선생님의 수업이 신기하고, 놀라웠다.
그렇게 생각 없이 마냥 신기하다고만 느꼈던 내게 선생님은 큰 깨우침을 주셨다. 이건 신기한 게 아니라 당연한 것들 이였다. 난 지금껏 기본적인 1단계도 제대로 안 되는 상태에서 3단계, 4단계의 운동을 하고 있었던 것이다.
그러나 그런 것에 대해 알려준 사람도, 스스로 알 길도 없었으니, 나는 내가 지금껏 했던 3.4단계의 훈련이 당연한 것으로 받아들였고, 처음 받아본 1단계의 치료가 새롭게 느껴졌던 것이었다. 그 말을 듣고 생각해 보니, 옛날에 내가 했던 질문 하나가 떠올랐다.
운동치료를 받을 때마다 늘 듣던 얘기 중에 하나가 배에 힘주란 얘기였다. 하지만 그때의 난 배에 힘을 주는 방법 따위 알지 못했었다. 그래서 숨을 꾹 참아서 배에 힘을 주곤 했었다. 그러니 또 선생님은 배에 힘은 주되, 숨은 참지 말라고 하셨다. 당연히 그게 될 리 없었다. 그런 상황들이 있어봤자 한두 번밖에 더 있을까 생각했지만, 그런 상황들은 몇 번이고 반복되었다. 그래서 내가 물었다.
사실 그거 어떻게 하는 건지 모르겠다고, 배에 힘주는 거 그거 어떻게 하는 거냐고 내가 물었다. 하지만 그날 나는 속 시원한 대답을 듣지 못하였다. 선생님은 제대로 된 대답을 해주지 않으셨고 얼렁뚱땅 넘기신 것 같다는 느낌을 받았다.

무엇 때문이었을까, 왜 그때 그 선생님은 그렇게 제대로 답을 하지 못 하셨던 걸까? 아무리 생각해도 난 알 수 없었다. 그분이 지식이 부족한 선생인 건지, 아니면 그냥 알려주기 귀찮으셨던 건지 내가 알 길은 없지만, 이 한 가지는 확실하다. 나는, 정말 좋은 선생님을 만난다는 거..

그 밖에도 난 새로 오신 선생님을 통해 많은 것들을 배웠다. 내가 왜 치료를 해야 하는지도 정확하게 알게 되었다. 그리고 그 소중한 배움을 통해 난 운동치료를 긍정적으로 보기 시작했다.

#. 마음과 마음이 닿아서..

엄만 내가 초등학교를 다닐 때부터 난 참 인복이 많은 아이라고 말씀하셨다. 그땐 그 말에 대해 깊게 생각을 해본 적이 없었다. 그런데 지금, 이 글들을 쓰고 있는 시점에서 생각해 보면, 난 인복이 많다 못해 인복이 터진 듯하다.

선생님을 만나고 엄마한테 처음으로 운동하는 게 재밌다고 말했다. 그 이유는 우리 선생님은 정말 특별하게 좋은 사람이었기 때문이었다. 치료실의 선생님이 아니라, 밖에서 다른 인연으로 만났더라면, 그리고 내가 만약 나이가 더 많았더라면 좋은 언니동생 사이까지도 가능했었을 거 같다는 생각이 들었다. 그도 그럴 것이 선생님께서는 운동뿐만 아니라 인생에 관한 조언까지도 아낌없이 해주셨다. 나는 점차 그 선생님이 더 좋아졌다. 고민을 털어놓고, 많은 얘기를 나누고 그러다 보니 서로 실없는 농담도 주고받는 사이가 되었다.

그리고 어쩌다 보니 내가 책을 준비한단 것도 그 선생님이 제일 처음 아셨다. 그 정도로 나는 선생님을 믿었고, 참 좋아했다.

그러나 당연하단 듯이 이번에도 끝은 찾아왔다. 그동안 많은 치료실을 다녔고, 그동안 많은 선생님을 만났지만 이렇게까지 아쉽고 싫었던 적이 없었던 것 같다. 하지만 꽤 어렵지 않게 그 이별을 받아들였다. 지금 당장 우리가 서로의 옆에 없다고 해서 완벽하게 모든 것이 끝난 게 아니란 것도 알고 있고, 사람의 연이란 그리 쉽게 끊어지는 것이 아니니 언제 어떤 모습으로 던 꼭 다시

만날 수 있을 거란 것도 우린 잘 알고 있었기 때문이다.
…

#. 치료실에 울려퍼진 나의 노래

나는 지금 일주일에 두 번씩 치료를 다닌다. 지금은 두
타임 다 같은 선생님과 수업하지만, 앞에서 말했던
것처럼 처음 선생님들이 오셨을 땐 두 타임 각각
선생님이 달랐다.
하루는 조금 전까지 이야기했던 선생님, 그리고 또
하루는 다른 선생님이 나의 치료를 맞으셨었다.

두 번째 선생님을 난 목요일 선생님이라 불렀다.
단순하게 목요일이 같이 치료하는 날이어서 그렇게
불렀다
목요일 선생님 역시 참 좋으신 분이었다. 난 사람과
친해지는데 오래 걸리는 타입이었다. 그런데 선생님과는
정말 빠르게 친해졌던 것으로 기억한다.

개인적으로 나는 누구라도 이 선생님과는 친해지지 않을 수 없을 것 같단 생각을 했다, 정말 가끔 있는, 쉽게 만나기 어려운 함께 있는 것만으로도 기분이 좋아지는, 몇 마디 대화를 나누는 것만으로도 금세 얼굴에 미소를 띠게 해주는 그런 분이라 느꼈다. 그도 그렇게 느낄 것이 우린 정말 잘 맞았다. 대화 한마디 한마디 모두가 내가 공감할 수 있는 내용이었다. 대화를 나눌 때마다 한두 번은 꼭 '아, 맞아요'라는 말을 했던 것 같다. 그렇다 보니 목요일 선생님과는 친해지지 않을 수 없었다. 그리고 자연스럽게 치료시간이 부담스럽게 느껴지지 않았다. 그래서 정말 행복했다. 더 이상 치료 가는 날이 우울하지 않으니 정말 살 것같이 느껴졌다. 몇십 년 된 앓던 이 가 빠진 느낌이랄까..

목요일 선생님은 운동할 때 내 취향에 맞는 노래를 틀어주곤 하셨다. 워낙 음악을 좋아하는 나인지라 그 시간이 정말 좋았다. 노래를 틀어놓고 이 운동 저 운동하다 보면 40분이 금방 지나가곤 했다.

노래 몇 개 안 들으면 40분이 금방 지나가서 너무 신기했다. 원래 40분이란 시간이 이렇게 짧았나 하는 의문이 들 정도로 말이다.
나는 노래도 따라 부르고 가끔은 선생님과 입박자도 맞추며 운동을 하기도 했다.

과연 누가 알았을까, 내가 치료라면 학을 때던 내가
그리도 혐오하던 치료실에서 웃고 떠들며 심지어는
노래까지 흥얼거리게 될 거란 걸 과연 누가 알았겠는가.

나의 변화는 그곳에서 멈추지 않았다. 아니, 어쩌면
그것이 내 변화의 시작이었을지도 모른다.

난 그 두 분 선생님들을 통해 내가 치료를 가야 한단
사실을, 그리고 내가 남들과 조금은 다르단 사실을
인정하기 시작하였다. 그런데 어쩌면 그건 내가 남들과
다르단 걸 인정하는 것을 넘어, 내가 나 스스로를
인정하기 시작한 시발점이었을지도 모른다.

#. 마음가짐의 중요성

난 이제 더 이상 재활치료가 창피하지 않았다. 친구들이 치료시간과 겹치는 시간대에 나와 놀자고 하면 난 당당하게 재활치료를 가야 한다고 말하곤 했다. 사실 난 그보다 더 전부터 그렇게 당당히 얘기하고 싶었다, 치료를 다닌다는 것을 숨기기 위해 계속 거짓말을 만들어내는 것도 이젠 지쳤기 때문이었다.
하지만 무서웠다. 왠지 모르게 친구들이 싫어할 것 같단 생각이 들었었기 때문이었다. 그러나 내가 그렇게 말했을 때, 친구들은 별 반응 하지 않았다. 그저 알겠단 얘기와 다음에 놀자는 얘기가 전부였다. 내가 이 얘기를 꺼내기 위해 필요했던 용기와 비교하면 정말 아무것도 아니었다. 당시엔 너무 허무하단 생각을 했었다. 날 이해해 준 친구들이 고맙지도, 그동안 이 쉬운 일 하나 해결 못해 끙끙 앓았던 내가 한 짐 하지도 않았다. 그냥 멍하니 앉아 허무하단 생각밖에 들지 않았다.

정말 내가 그거 하나 해결 못 하는 이렇게나 한심한 사람이라니 지금에 와서 새삼 놀랍다. 생각해 보면 그 용기가 어디서 나온 건지는 아직도 잘 모르겠다. 나는 그것에 대해 엄마한테도, 치료실 선생님 한 테도, 그리고 다른 그 누구에게도 말한 적이 없었다. 그렇다면 난 진짜 어디서 그 용기를 얻은 걸까? 남들은 별것 아닌 걸로 유난이라 말할 수도 있겠지만 당시의 나에겐 정말 큰 용기가 있어야지만 가능한 일이었는데 말이다.

사실 나도 아직 잘 모르겠지만 아마도 그 용기는 나의 마음가짐에서 시작된 것이 아닐까? 그러니 치료란 것을 새로운 마음가짐으로 보기 시작하면서부터, 자연스레 내게

용기가 생긴 것이 아닐까 하는 생각이 든다

사람에게 있어 마음가짐이란 굉장히 중요한 요소 중의 하나이다. 마음가짐을 어떻게 하냐에 따라 누군가는

하나의 상황을 긍정적으로 바라보지만, 또 다른
누군가는 그 상황을 부정적이게 바라보기도 한다.
그리고 그로 인해 범죄가 일어나기도 하고, 그 범죄를
막아내기도 한다.

이렇듯 우리에게 있어 굉장히 중요한 요소 중의 하나인
마음가짐은 자신의 노력과 의지가 굉장히 중요하겠지만,
그것과 더불어 주변 환경과 사람들의 모습 역시도 꽤
많은 부분을 차지한다. 그들은 우리에게 좋은 영향을
줄수도 있고, 나쁜 영향을 줄수도 있기에 너무 나쁘게만
볼 수도, 또 너무 좋게만 볼 수도 없는 참 어려운 부분
중의 하나이다.
나를 생각해 보면, 나쁜 영향을 주는 주변사람의 비중과
좋은 영향을 주는 사람의 비중이 거의 비슷했던 것 같다.
하지만 한 가지, 그럼에도 불구하고 나의 옆을 돌아봤을
때, 내게 좋은 영향을 주는 사람들이 더 많았다. 어쩌면
이건 당연한 게 아니라 참 감사한 것이다. 그리고 난 이
중요한 사실을 치료실 선생님들을 통해 배운 것이나
다름이 없었다.
나는 그분들을 통해 마음가짐에 대해 생각해 볼 계기가
생겼으니 말이다. 그것을 알고 나니 또 다른 한 가지,
그분들에게 난 과연 좋은 영향을 끼쳤을까, 그리고
앞으로도 좋은 영향을 끼칠 수 있을까 하는 의문이
들었다.
부끄럽지만, 사실 난 아직 누군가에게 좋은 영향을
주기엔 턱없이 부족한 사람이었다. 그래서 난 빨리
지금보다 몸도, 마음도 성숙해지고 싶다. 그렇게 열심히

커가며 세상의 여러 가지의 것들을 보고, 익혀가다 보면, 언젠간 나도

그분들이 내게 그랬던 것처럼 나도 그들에게 일로 만난 아이, 그 이상으로 많은 위로와 용기를 줄 수 있는 사람이 될 수 있지 않을까..? 아니, 꼭 그랬으면 좋겠다.

#.마치며..

누군가는 이 글을 보고 너무 유난이라고, 뭘 그렇게까지 거창하게 글을 써내느냐고 욕을 하진 않을까, 잠시잠깐 고민했던 적도 있었다. 하지만 그 누가 어떤 욕을 하던 상관하지 않기로 했다. 얼굴 모를 누군가가 할 욕을 벌써부터 걱정하기보단 지금 내 앞에 있는 내 사람들을 더 생각하고, 챙기는 편이 더 낫겠단 생각이 들었기 때문이다.

요즘 나는 꿈속에서 사는듯한 기분이 들 때가 많다.
그렇게 싫어하던 치료실에서 소중한 인연이 시작돼 지금
이때까지 이어질 줄 누가 알았겠는가. 난 내가 살면서
이렇게까지 치료실 선생님들을 좋아하게 될 거라곤
상상조차 하지 못했었다. 상상조차 하지 못했던 일이
현실에서 일어나고 있으니 이 얼마나 감사한 일인지
모르겠다. 난 그래서 글이란 것이 너무도 좋다,
지금까지 선생님들께 한 번도 표현 못 했던 나의 마음을
글로라도 자세히 표현할 수 있으니 얼마나 감사한지
모르겠다.
내가 가끔 진담 반 농담 반으로 얘기했던 사랑 한단 말을
선생님은 아마 진짜 농담으로 아시고 계시겠지만, 다른
건 몰라도 내가 말한 사랑 한단 그 표현은, 은근슬쩍 내
마음을 담은 진담이었다.. 음... 진짜 쑥스럽지만 말이다.

-치료실 선생님 end..

7
마음이 모여 가족을 만들었습니다

*

그대들은 피가 없이 마음만으로도 가족이 될 수 있는가
라는 물음에 어떤 대답을 할 것입니까? 만약, 누군가

저에게 그렇게 물으신다면 저는 주저 없이 '예'라고 답할 것입니다.
저는 그런 물음에 긍정적으로 답할 수 있는 제 상황이 너무도 감사했었습니다. 그런 대답을 할 수 있다는 것은 제가 형성한 나의 인간관계가 꽤 괜찮고 제 옆에 있는 사람들이 참으로 좋은 사람들이란 뜻이니까요.(ps. 제가 지금 서술 중인 이 이야기는 세상 모든 사람들에게 해당된단 것이 아닙니다. 지극히 개인적인 내 이야기를 하고자 하는 것입니다.)

나의 어머니는 정말 굳센 믿음을 가진 교인입니다. 그 덕분에 저는 물론이며, 제 동생 역시 모태 신앙을 가지게 되었습니다. 사실 예전엔 교회나 우리 엄마가 믿는 신에 대해 딱히 큰 애정이 없었던 것 같아요, 그래서 그냥 주일에 교회도 형식적으로만 다녔고 그 외엔 어떤 신앙적인 행동도 하지 않았죠.
그런데 그런 제가 어느 순간 점차 기도를 하고 찬양을 하기 시작했어요. 그러다 보니 어느새 찬양을 틀어놓고 울기도 하고, 누가 시키지 않았는데도 가끔 스스로 유명 연예인들의 간증을 찾아보기도 해요. 생각보다 기독교인이신 연예인 분들이 많으시답니다.
교회조차도 형식적으로 억지로 다니던 제가 일부러 기독교 방송을 찾아보는 지금의 저로 성장하기까지 정말 뜨거운 엄마의 기도와 눈물이 있었던 것 같아요, 사실 그 지분이 가장 크겠죠. 그렇지만 제가 알게 모르게 저희 가족들 뿐만 아니라 많은 저희 교회 분들이 저를 사랑하고, 저를 위해 제 가족들을 위해 기도하고 계실

거예요. 어떻게 아냐고요? 제가 그동안 봐왔던 저희 교회 분들이 그런 좋으신 분들이셨 거든요..

저는 가족처럼 절 사랑하시는 그 감사하신 분들을 생각하며 이 책의 마지막 파트의 주제를 선정하였습니다, 이리 귀하신 분들을 위해 글을 쓸 수 있다는 사실이 얼마나 감사한지 모르겠어요..

*

아빠의 사업으로 인해 거의 반 강제적으로 외국에 이민을 갔던 당시 아버지의 회사는 그리 잘 운영되지 않았습니다. 무작정 비행기를 타고 향했던 말도 통하지 않는 외국에서의 삶은 꿈과 180도 달랐죠. 외국에서 거주를 하려면 많은 과정과 절차가 필요합니다. 또한 받아야 할 교육들도 생각보다 많았습니다. 당시 아버지가 한 1년 정도 빨리 출국했었고 저희가 1년 정도 늦게 나간 상황이었습니다. 그러다 보니 아버지는 모든

수료과정과 합법적인 철차를 걸친 이주민이었어요. 즉,
어머니만 교육과정을 이수하면 되는 상황이었죠. 그런데
참.. 기괴할 정도로 상황이 뜻대로 흘러가지 않았었어요
엄마가 받아야 할 교육을 진행하는 곳이 아버지 회사가
있는 지역에는 없었습니다. 그래서 어머니 혼
자 교육시설이 있는 지역으로 가면 되겠지 생각을
하셨다고 해요. 그런데 또 문제가 하나 더 생겼으니
그것은 바로 저와 제 동생이었어요. 당시 아버지가
회사를 비울 수 없는 상황이었어서 결국은 또 엄마가
저희를 이끌고 다른 지역으로 가게 됩니다.
그곳에 가서 교육을 받기로 등록을 하고 나니 저녁
시간이었어요 집으로 돌아가기엔 너무 늦은 시간인
거죠.. 심지어 그 근처에는 숙소 하나. 찜질방 하나도
없었습니다. 발만 동동 구르며 시간을 보내던 그때 불
켜진 작은 교회 하나가 눈에 보였고 저흰 무작정 그
교회로 거의 쳐들어가게 됩니다. 그리고 그곳에서
지금껏 너무 존경하는 저희 사모님과 목사님을 만나요.
어머니는 자초지종을 설명하고 보일러도 그 무엇도 필요
없으니 교회에서 하룻밤만 묵을 수 있게 해달라고
부탁합니다. 그런데 그 사모님은 굉장히 단호했습니다.
아무리 교회라도 여자혼자 애들을 데리고 자는 건
위험하니 차라리 본인의 집으로 가자고 말씀하셨어요.
어머니는 너무 죄송했지만 도무지 방법이 없어 결국
염치 불고하고 그곳에 따라가게 됩니다. 그리고
그곳에서 따뜻한 밥과 잠자리를 제공받았어요.

사실 현실감이 하나도 느껴지지 않는 이야기들이죠.
모르는 사람들을 집에 데려와 먹이고 재워준 것도

그렇고, 또 무작정 따라간 저희도 그렇고 정말 말이 되지 않는 일들이에요, 그런데 그 말도 안 되는 일들이, 기적 같은 일들이 저희의 삶에 찾아오시는 좋으신 분들 덕분에 아름다운 현실이 되곤 합니다.

그리고 그 선행을 본 저희 어머니는 그날 밤 아주 큰 결단을 내리게 됩니다. 주말부부를 해도 좋으니 무조건 이곳에 터 잡고 살아야겠다고 말이죠.

그리고 지금, 그 결단을 내린 지도 어느새 10년이 지났는데요.
거의 쳐들어가다시피 들어갔던 그 교회는 내가 사랑하는 분들과 존경하는 분들이 가득 계시는 '우리 교회'가 되었고, 낯설고 무섭던 낡은 동네는 정겨운 내 제2의 고향이 되었습니다.

이곳에 완벽하게 정착하기까지 정말 많은 교회의 도움을 받았습니다. 그런데 그 크기가 너무도 크다 보니 어떻게 표현해야 할지 아직도 사실 잘 모르겠어요.

지금까지 늘 볼 때마다 인자한 눈웃음으로 맞아주시는 권사님, 늘 안아주시고 어깨 토닥여 주시는 권사님 기도해 주시는 집사님들.. 너무너무 감사드려요 어릴 땐 몰랐는데 '내가 널 위해 기도해 줄게'란 말씀들이 너무도 힘이 됩니다. 그리고 저 볼 때마다 천사야 천사야 하시는 권사님 너무 과분한 말씀 주셔서 감사합니다.. 저에게 마음이 모여 가족을 만들 수 있단 사실을 가르쳐 주셔서 너무 감사드리고 사랑합니다.

#. 마치며

지금도 우리 가족들은 그 교회에 다니고 있다. 벌써 그 교회에 다닌 지도 10년이 지났다. 우리 교회는 10년 동안 거의 바뀐 게 없다. 그래서 난 참 좋다. 그곳엔 나의 일대기가 담겨있는 느낌이 든다. 그곳에 어린 나의 땀방울이 있고, 삶을 배우며 흘린 눈물이 있다. 또한 그곳에선 내 가족들의 노랫소리와, 웃음소리가 끊임없이 들려온다. 이제 그곳은 나의 집이고, 그곳의 성도들은 나의 가족이다. 언제나 가서 편히 쉴 수 있는...
따뜻하고, 포근한 나의 집..

교회에 가서 사람들을 만나면 왠지 기분이 좋아진다.
세상에서 가장 따뜻한 사람들만 모여있는 느낌이다.
그곳에서는 모두가 웃고 있다.

물론 사람이 모여있는 곳이 항상 아름답기만 할 수는
없다. 우리와 다른 누군가를 만나게 될 수도 있고, 정말
아름답 게만 생각했던 누군가가 우릴 등지는 일이
일어날 수도 있다. 그러나 또 사람이 모여있기에 큰
상처가 조금이나마 작게 보이기도 한다. 그리고 사람이
많기에 기댈 수 있는 곳도, 받을 수 있는 위로도, 수없이
많아진다. 그래서 나는 그 교회가, 그리고 아름다운
마음들이 모여 만들어진 나의 가족들이 참 좋다...

-마음이 모여 가족을 만들었습니다

end..

내 사람들 없이는 안된다 (작가의 말)

아무런 볼 것도 없는 내가 언제나 빛나는 그대들을 감히
내 사람이라 칭할 수 있는 것이 내게 얼마나 큰
행운이고, 행복인지 모른다.

처음으로 이런 형식의 책을 기획하고, 그것을 행동으로
옮겨, 지금에 오기까지.. 수 없는 시행착오를 겪었다.
상상도 못 해봤던 어려움들이 모여 마치 쓰나미처럼
나를 덮쳤다. 그때마다 그냥 처음부터 시작하지 말걸....
하고 후회한 적이 참 많았다. 그럴 때 내가 버틸 수
있었던 것은 그대들이 있었기 때문이다.
언젠가 내 글을 보며 환하게 웃어줄 내 사람들을
상상하면, 상상만으로도 내 얼굴에 웃음이 피었다. 그
상상이 내게 주는 효과는 참 대단했다. 그 효과로 인해
난 마음을 다잡고 다시 펜을 잡을 수 있었다.
그때마다 참 신기했다. 상상만으로도 웃을 수 있게
해주는 그대가 너무도 신기했다. 그리고 난 결심했다.
무조건 내 사람들을 웃게 할 수 있는 글을 쓰겠노라고
말이다.

그것 하나만 보고 달리다 보니 일 년이란 시간이
지나갔다. 그 시간 동안 매일같이 책을 생각하고,
그대들을 생각하며 지냈다. 그 긴 시간을 보내며 이 책을

전부 '감사'라는 단어로 채워도 모자랄 것 같단 생각이 들었다.
내가 그대들과 연을 이어올 수 있어서, 내가 그대들을 내 사람이라 부를 수 있어 감사하고, 그대들과 함께 하며 꿈을 꿀 수 있음에 감사함을 느꼈다.
그러나 무엇 보다도 그대들이 내 옆에 있음에 너무도 감사했다.

그리고 그와 더불어, 이 글을 쓰기 시작하며, 들었던 수많은 격려와 응원이, 어느 작은 아이를 작가로 만들어 놓았다. 그리도 아름다운 말들을 전했던 그들이 그 자그마한 아이에겐 이 세상 살아가며 없어선 안될 공기이며, 물이었다. 그런 그들을 보며 그 애가 말했다.
'내 사람들 없이는 안된다..'